Les Enfants des Justes

Christian Signol

Les Enfants des Justes

ROMAN

Albin Michel

IL A ÉTÉ TIRÉ DE CET OUVRAGE

Vingt exemplaires
sur vélin bouffant des papeteries Salzer
dont dix exemplaires numérotés de 1 *à* 10
et dix exemplaires, hors commerce, numérotés de I *à* X

À Germaine, ma grand-mère, qui donnait le pain

Dans nos ténèbres, il n'y a pas une place pour la beauté. Toute la place est pour la beauté.

René Char

Avant-propos

Le président François Hollande a qualifié récemment l'arrestation, l'internement et la déportation de juifs de « crime commis en France par la France ». J'aurais préféré entendre l'« État français », coupable effectivement de tous ces abominables crimes, mais qu'on ne peut en aucun cas assimiler à la France de cette époque. Aussi en ai-je été profondément blessé, tout comme j'avais été blessé par les propos de Jacques Chirac en 1995. Non pas pour moi, mais pour mes parents et mes grands-parents. Mon père s'est engagé pour la durée de la guerre contre les nazis, puis a été réfractaire au STO parce qu'il ne voulait pas travailler pour Hitler, et ensuite résistant dans les groupes Vény, réseau Buckmaster, sur les causses du Lot. Mes grands-parents, qui étaient boulangers, ont donné du pain à tous les réfugiés : Espagnols, juifs, échoués de l'Exode, et dans mon village pas un seul n'a été dénoncé.

Ma France à moi n'est coupable de rien. Les

héros de ce roman auquel je tiens tant, Virgile et Victoria, non plus. Ils ressemblent beaucoup à mon grand-père et à ma grand-mère. Non physiquement, mais par leur bonté naturelle, leur absence de préjugés envers qui que ce soit, leur refus du malheur. Ma France, c'est celle-là, celle de la résistance à la barbarie nazie, et celle de l'humanité généreuse. Celle de l'humilité, du silence et du courage. Celle dont je suis fier et dont je me sens gardien vigilant de la mémoire, sans loi mémorielle ni repentante.

C.S.

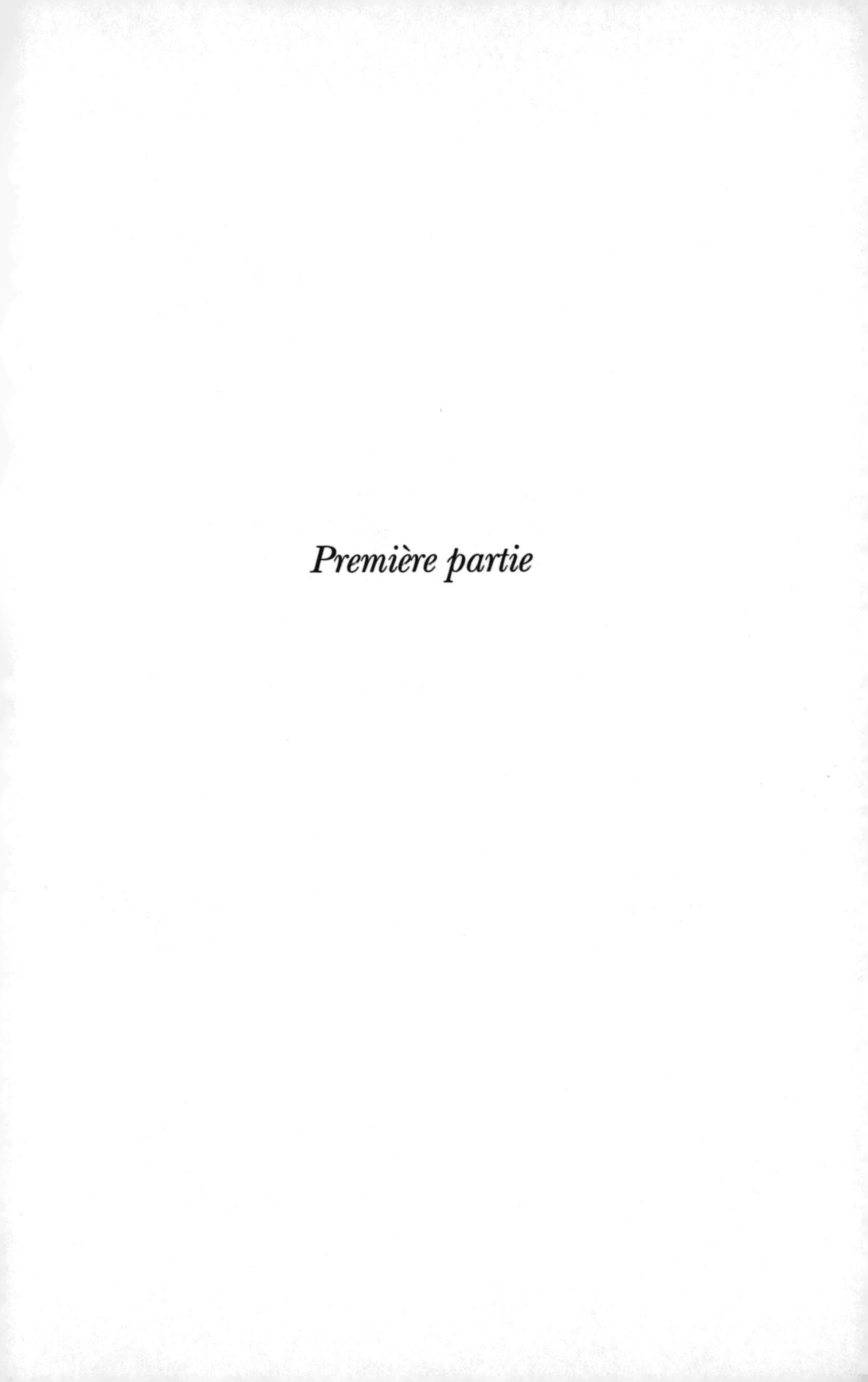

Première partie

1

LA nuit de mai sentait le lilas et les feuilles nouvelles, qu'un vent léger caressait. Une lune de sucre éclairait le chemin qui filait droit vers la rivière, entre deux haies fleuries d'églantiers. Virgile n'avait pas peur : il était seulement impatient de savoir ce qu'il trouverait de l'autre côté. Mais il aimait la nuit, elle lui était familière, n'avait jamais été menaçante, au contraire : ce monde sans hommes, comme neuf, lui semblait rendu à ses origines, lavé de tout péril, immergé dans la paix d'une vie dont il s'efforçait de goûter chaque seconde.

Il marchait sans hâte sur le sentier, se remémorant le soir de la semaine passée où, rentrant chez lui à sept heures, il avait aperçu une voiture dans la cour. Son cœur s'était emballé, d'autant qu'il lui avait semblé qu'il s'agissait de la Delage du médecin, une voiture qu'il aurait reconnue entre toutes, puisque le Dr Dujaric était le seul à en posséder une. Malgré la chaleur de cette fin du mois de mai qui portait déjà les prémices de l'été, Virgile avait pressé le pas tout en s'essuyant le front. Quand il était parti, vers quatre heures de l'après-midi, sa femme, Victoria, ne s'était plainte de rien, n'avait pas cherché à le retenir, mais peut-être s'était-elle sentie mal à cause, précisément, de ces premières chaleurs que l'opulence des arbres et des prés semblait retenir prisonnières.

Or, malade, Victoria ne l'avait jamais été. Rien n'aurait pu, semblait-il, l'empêcher de se lever la première le matin, de s'occuper des volailles, du jardin, de l'aider, lui, Virgile, dans son atelier quand c'était nécessaire, de venir à bout de toutes les tâches ménagères auxquelles elle faisait face sans se plaindre, et, au contraire, avec une énergie souriante dont elle ne se départait jamais. Et pourtant Virgile savait qu'il y avait une blessure en elle : à quarante-deux ans, elle n'avait pas pu avoir d'enfant. Il avait souvent tenté de la consoler, mais ses paroles étaient demeurées impuissantes à soigner cette blessure dont elle souffrait en silence, et, il en était persuadé, comme d'une plaie à vif.

Cela n'expliquait pas la voiture du médecin dans la cour. Il avait senti de nouveau son cœur s'emballer mais il n'avait pas ralenti, et il avait rapidement atteint le seuil dont la porte était close. Il l'avait ouverte à la volée, était resté muet en découvrant sa femme calmement assise d'un côté de la table et, lui faisant face, le médecin qui s'était levé en l'apercevant.

– Entre vite ! avait dit Victoria. Tu vas nous faire rôtir !

Virgile avait fait un pas en avant, serré la main du médecin et, soulagé, s'était laissé tomber sur une chaise en hochant la tête :

– Vous m'avez fait peur.

– Pourquoi ? avait demandé Victoria.

– J'ai vu la voiture, alors je me suis demandé ce qui n'allait pas. J'ai cru que tu t'étais sentie mal.

Victoria avait haussé les épaules, tandis que le médecin, un colosse peigné en brosse, aux grands yeux clairs, disait :

– Excusez-moi. C'est vrai que ce n'est pas l'heure habituelle de mes visites.

Puis il avait ajouté :

– En fait, c'est vous que je cherchais.

– Ah !

Virgile n'avait posé aucune question, car la patience était la première de ses vertus, et pas la moindre curiosité à l'égard de ses semblables ne hantait ses pensées.

– C'est au sujet de la ligne de démarcation, avait repris le médecin. Il me semble que vous avez un atelier tout près, n'est-ce pas ?

– Oui. En effet.

– Et une barque sur la rivière ?

– Oui, une barque aussi.

Le médecin avait paru réfléchir, hésité quelques secondes, puis il s'était enfin décidé à poursuivre :

– Voilà : j'ai pensé que vous voudriez bien me rendre service en faisant passer la ligne à des gens.

Virgile, étonné, avait interrogé Victoria du regard : manifestement, elle avait été informée du projet, mais elle n'en montrait aucune émotion particulière.

– Oui, je sais, avait repris Dujaric, ça peut être dangereux, mais je n'ai confiance qu'en vous deux.

Virgile n'avait rien trouvé à répondre, tellement les paroles du médecin avaient du mal à se frayer un chemin en lui.

– Il faudrait aussi les conduire jusqu'à Saint-Martial où quelqu'un d'autre se chargera d'eux.

– Mais qui ? avait enfin demandé Virgile, retrouvant brusquement la parole.

– Ceux qui ont besoin de passer de la zone occupée en zone libre. Et croyez-moi, ils sont nombreux.

Le médecin avait compris qu'il devait laisser le temps à cet homme et à cette femme qu'il appréciait de s'habituer à l'idée de devenir des passeurs clandestins, et il les observait en silence : elle, brune, forte, carrée, aux cheveux épais, aux yeux d'un noir profond ; Virgile, fort aussi, mais d'une rondeur bonhomme, presque chauve, les yeux clairs, portant sur son visage toute la bonté du monde, une sorte de candeur que l'enfance aurait définitivement incrustée en lui, une confiance dans les autres hommes que même la guerre et les difficultés du temps n'avaient pu ébranler.

– Alors ? avait demandé le médecin, qu'est-ce que vous en dites ?

– Je sais pas si je serai capable, avait dit Virgile.

– Qu'est-ce que tu racontes ? s'était écriée Victoria. Ce ne sera pas la première fois que tu iras pêcher la nuit. Tu m'as assez donné du souci avec ça.

Virgile les avait considérés un long moment sans mot dire, puis, en guise d'assentiment, il avait soupiré :

– Eh bien ! puisqu'il le faut !

– À la bonne heure ! s'était réjoui le médecin en serrant la main de Virgile. Je vous remercie.

Et, se tournant vers Victoria :

– Vous aussi, Victoria. Je savais que je pourrais compter sur vous.

Le médecin avait fini son verre d'eau de noix, remercié encore une fois, puis il s'était levé en disant :

– Je viendrai vous prévenir la veille et je vous donnerai tous les renseignements nécessaires. Vous verrez, ce ne sera pas très compliqué, surtout pour quelqu'un qui connaît bien la rivière.

Il leur avait serré la main une deuxième fois, s'était hâté de regagner sa voiture qui, dans un vrombissement formidable, avait disparu rapidement à l'extrémité du chemin. Virgile et Victoria étaient demeurés face à face, incapables de prononcer le moindre mot pendant un long moment, puis elle avait décrété, d'un ton qu'elle voulait détaché mais qui ne l'était pas :

– C'est pas une affaire, tout de même !

Virgile n'avait pas répondu. Il s'était dirigé vers l'évier taillé dans la pierre, avait versé un peu d'eau sur ses mains et s'était rafraîchi le visage sans pouvoir se dissimuler le plaisir qu'avait fait naître en lui la perspective de quelques nuits supplémentaires sur la rivière.

Huit jours s'étaient écoulés, le médecin était revenu, avait donné les instructions pour le premier passage : mots de passe, heure, nombre de passagers, lieu de destination. Virgile remuait tous ces renseignements dans sa tête, mais sans trop s'en inquiéter : il savait pouvoir compter sur Victoria. Il était tout à son plaisir de sentir la proximité de la rivière dont il apercevait les peupliers, là-bas, leurs plus hautes feuilles étincelant sous la lune, et, par endroits, se mêlant aux éclairs de l'eau entre les frondaisons.

Il n'avait pas peur, non, il n'y avait pas la moindre appréhension en lui, simplement un peu d'impatience à naviguer sur cette rivière qu'il aimait tant, et sur laquelle, à cause de son travail, il n'allait pas assez souvent à son gré. D'autant que Victoria avait horreur du poisson, qu'il devait le donner aux gens du voisinage et que la pêche, donc, n'était qu'une perte de temps, ce temps que, malgré ses efforts,

Virgile ne maîtrisait pas du tout, au grand désespoir de sa femme et de ses clients, lesquels attendaient leurs commandes pendant deux ou trois ans.

Agacé par cette idée, il haussa les épaules, s'approcha de la rive, à l'endroit où sa barque était attachée à un aulne. Avant de dénouer la corde, il écouta un moment, tous les sens aux aguets, mais rien ne venait de la rive d'en face : pas le moindre bruit, pas le moindre mouvement, sinon le murmure des frênes et des peupliers. L'eau n'était pas haute : il y avait longtemps que les pluies de l'hiver s'étaient écoulées vers la mer, à plus de cent cinquante kilomètres de là. Elle était même si basse qu'il y avait danger d'échouage entre deux gravières, mais Virgile connaissait l'étroit chenal qui permettait de passer sans encombre, dans l'axe du courant principal qui n'était pas violent en ce début d'étiage.

Il monta dans la barque, s'empara de la rame, écouta encore un instant, tenant d'une main une branche de l'aulne pour ne pas décoller de la rive, puis il appuya l'extrémité de la rame contre la berge haute d'un mètre, lâcha la branche et poussa d'un coup sec. La barque s'éloigna, proue vers l'amont, d'abord rapidement, puis, un peu plus loin, avec moins de vitesse dès qu'elle fut face au courant. Tout à ses sensations familières, percevant à la fois l'eau, les arbres, la lune et les étoiles qui semblaient pleuvoir sur la vallée, Virgile oublia un instant les raisons de sa présence sur la rivière à deux heures du matin.

Puis, l'ombre d'une silhouette, là-bas, en face, qui passa entre deux arbres et se détacha un instant sur l'espace blafard éclairé par la lune, le ramena vers sa mission.

Le médecin avait dit : « La patrouille allemande passe à trois heures, vous avez largement le temps, même s'il y a du retard de l'autre côté. Si c'est le cas, vous pouvez attendre, mais pas plus d'un quart d'heure. Ainsi, votre marge de sécurité sera importante. »

Virgile n'avait donc pas à se presser, mais, au fur et à mesure que la barque progressait vers l'autre rive, il sentait les battements de son cœur s'accélérer. Il n'était plus qu'à dix mètres, maintenant. De nouveau, une silhouette bougea, qui était celle d'un homme, à n'en pas douter. Il sembla à Virgile qu'une seconde glissait derrière la première, ce qui l'alerta : il ne devait trouver qu'un seul passager. Il pensa à un piège, mais il était trop près pour faire demi-tour. Il donna un coup de rame pour redresser la barque et la présenter proue vers la rive, accosta doucement, entre un peuplier et un frêne qu'il avait répérés la veille. Il attendit quelques secondes, la rame fichée dans le sable, prêt à reculer au moindre mouvement suspect, puis la silhouette s'approcha et lança, d'une voix mal assurée :

– « Demain, dès l'aube. »

Le médecin avait expliqué à Virgile que ces trois mots de passe étaient extraits d'un poème de Victor

Hugo : « Demain, dès l'aube, à l'heure où blanchit la campagne... »

Virgile répondit :

– « Je partirai. »

Puis, aussitôt :

– Montez ! Et asseyez-vous face à moi !

L'homme posa un pied maladroit sur l'extrémité de la barque, ce qui donna à penser à Virgile que c'était un homme de la ville, puis il fit tanguer l'embarcation avec toujours autant de maladresse, mais réussit enfin à s'asseoir. Aussitôt, Virgile pesa sur la rame et décolla la barque de la rive.

– Merci ! dit l'homme, dont la carrure paraissait imposante, et qui semblait très agité.

– Ne vous inquiétez pas. Il n'y en a pas pour longtemps, dit Virgile.

De fait, il ne lui fallut pas plus de cinq minutes pour traverser de nouveau et accoster à l'endroit exact d'où il était parti. Il avait manœuvré pour se trouver près de la rive, de manière à toucher terre le premier, la corde dans sa main droite, car il n'avait pas confiance dans son passager. Dès qu'il fut sur la terre ferme, il tendit la main à l'homme et l'aida à descendre.

– Merci ! répéta le passager en gardant un instant dans la sienne la main tendue.

Virgile ne répondit pas. Le médecin lui avait recommandé de ne pas trop parler, insistant sur le fait qu'il valait mieux en savoir le moins possible au cas où cela tournerait mal. Virgile n'avait pas très bien compris ce qu'il voulait dire par là, mais il n'avait pas osé demander des explications à Victoria. Il attacha la corde et se retourna.

– Venez ! dit-il simplement.

– Nous allons loin ? demanda l'homme.

– À peine un kilomètre.

Virgile se mit en marche, songeant à ce qu'avait précisé le médecin : « C'est un prisonnier qui s'est évadé d'Allemagne. Allez-y doucement, il est épuisé, mais ne le gardez pas chez vous, c'est trop près de la ligne. Conduisez-le à Saint-Martial. Il y passera la fin de la nuit et la journée du lendemain. Il ne repartira que la nuit suivante. » Virgile s'arrêta et demanda :

– Ça va ?

– Oui, dit l'homme, dont la respiration précipitée démentait la réponse.

– Vous allez pouvoir vous reposer.

Et Virgile se remit en route, attentif à ne pas marcher trop vite, même si la crainte d'une patrouille l'incitait à gagner la maison le plus rapidement possible.

Tous ses sens aux aguets, Victoria ne dormait pas. Elle s'était relevée, et, depuis la fenêtre de sa chambre, elle surveillait le chemin par où s'était éloigné Virgile une demi-heure auparavant. Elle s'en voulait d'avoir accepté pour lui cette mission, sachant à quel point son homme était incapable de faire face à la moindre situation imprévue. Il se reposait sur elle depuis toujours – depuis qu'ils étaient mariés en fait. Mais c'était cette singularité, avant tout, qui l'avait liée à lui dès leur rencontre, cette faculté de ne voir le mal nulle part, de se laisser vivre, de faire confiance d'emblée à n'importe qui, avec une innocence – une inconscience – qui la rendait folle d'inquiétude dès qu'il sortait de son univers, même s'il gagnait simplement Monestier à bicyclette, de l'autre côté du pont et de la route nationale, d'où, à son avis, il tardait toujours trop à rentrer.

Depuis l'armistice, heureusement, Virgile ne s'y rendait plus, car le village se trouvait en zone occupée, et leur maison en zone libre. Victoria avait longtemps insisté pour que Virgile rapproche de chez eux son atelier situé près de la rivière, mais il s'y était toujours refusé, se justifiant par le fait que cet atelier avait été construit par son père, menuisier de son état comme lui l'était devenu, et qu'il ne pouvait pas le démolir. Ç'avait été le seul refus qu'il avait réussi à lui opposer. Un refus garant aussi d'une liberté qui lui était chère mais dont il n'abusait pas, elle devait bien en convenir.

C'était donc Victoria qui faisait les courses au village, passait le barrage avec la carte interzone des frontaliers, d'abord le poste français, puis, en face, à soixante mètres, la herse et la guérite allemandes, et son appréhension du début avait disparu, en ce mois de mai 1941, d'autant que la délivrance des laissez-passer s'était améliorée depuis avril et que le va-et-vient était redevenu régulier entre la campagne et le bourg.

Quelque chose bougea au loin, près de la haie, mais ce n'était pas la silhouette de Virgile. Elle l'aurait reconnue dans la nuit la plus noire, tellement elle lui était familière dans sa façon de se mouvoir, de marcher un peu sur la pointe des pieds, les bras légèrement écartés du corps, exactement comme lorsqu'elle l'avait rencontré dans sa jeunesse à la fête de Monestier, sur la place où se donnait le bal de la fin août, sous les lampions qui avaient tant tardé à se rallumer, après l'hécatombe de la Grande Guerre. Elle s'était souvent demandé comment elle avait pu danser avec cet homme si timide qui lui avait souri sans oser l'inviter, au point que c'était elle qui s'était levée la première, lui avait tendu une main qu'il avait prise et n'avait jamais plus lâchée.

Ils s'étaient mariés un an plus tard chez elle, à Labarrère, un hameau situé à dix kilomètres de Monestier, où, troisième d'une famille de sept enfants, elle aidait ses parents, métayers d'un tout petit domaine de dix hectares. Elle s'était alors installée dans la maison de Virgile, au lieu-dit la Sauvénie, situé à moins de deux kilomètres de Monestier. C'était surtout la maison du père de Virgile. Les deux hommes vivaient seuls, la mère étant morte en lui donnant le jour. Ils étaient menuisiers parce que leur propriété ne leur suffisait pas pour vivre : elle ne comportait qu'un pré et un petit champ attenant à la cour qui servait de jardin potager. Le pré au bord de la rivière leur permettait de couper le foin en juin et de posséder une vache qu'ils choyaient dans la petite étable située en face de la maison.

Aussitôt, la présence d'une femme dans ce foyer à l'écart du monde l'avait ensoleillé. Le père de Virgile, qui se prénommait Jean mais que tous les villageois appelaient Jeantillou, était d'un commerce aussi agréable que son fils : une pâte d'homme malléable et fait pour le bonheur, heureux d'un rien, capable de s'égarer pour suivre un oiseau, oubliant les commandes de meubles, portes et fenêtres, mais dont les clients ne se lassaient jamais, tant il était impossible d'en vouloir à un homme pareil, déconcertant dans la manière si humble qu'il avait de s'excuser, désarmant comme l'était Virgile, ce fils qui lui était né en provoquant la disparition d'une femme adorée.

Jean avait fait appel à une cousine pour l'aider pendant les premiers mois, puis il avait élevé seul ce garçon qui lui ressemblait comme un jumeau qui aurait eu vingt ans de moins que lui. Il lui avait appris le métier de menuisier, ils avaient parcouru tous les jours côte à côte le chemin de l'atelier situé près de la rivière où ils pêchaient plus qu'ils ne travaillaient, sans jamais gagner suffisamment d'argent car Jean ne savait pas se faire payer. Beaucoup l'avaient compris, dans la vallée, et en profitaient, mais ils finissaient quand même par régler leurs dettes, au bout de deux ou trois ans, à force de croiser cet homme incapable d'établir une facture et de la porter à ses clients.

Heureusement, Victoria avait mis bon ordre à cette situation, qui, sans elle, eût entraîné les deux hommes vers des difficultés insurmontables. Et, un jour où elle remplissait des papiers à la place de Jean, elle avait demandé, comme si elle s'interrogeait pour la première fois :

– Mais enfin, pourquoi l'avez-vous appelé Virgile, votre fils ?

Jean, d'un air embarrassé, avait répondu simplement :

– Le père de ma femme s'appelait comme ça. J'ai pas réfléchi : comme elle venait de mourir, j'ai pensé que peut-être elle serait contente là où elle était.

Comment contester une telle évidence ? Elle n'en avait jamais plus reparlé, s'était habituée à vivre entre ces deux hommes qui la vénéraient, s'efforçant de les accepter comme ils étaient, toujours contents d'eux-mêmes mais incapables de tenir la moindre promesse, des copeaux dans les cheveux, et d'une bonté maladive qu'ils croyaient universellement répandue.

Les années avaient passé, puis Jean était mort à cinquante-cinq ans, brutalement, dans l'atelier où il travaillait, ce matin-là, avec Virgile. Il était tombé d'un coup, sans un mot, la face dans la sciure des planches de chêne qu'il rabotait, et pas la moindre souffrance ne s'était inscrite sur son visage étonné. Victoria avait dû veiller sur Virgile au cours des jours qui avaient suivi, puis la force de vie qui vibrait en lui l'avait réconcilié avec le monde, et son sourire avait refleuri sur ses lèvres aussi rapidement qu'il avait disparu. Désormais, c'était elle qui l'aidait dans l'atelier quand il en avait besoin, mais c'était rare car il était aussi adroit de ses mains que maladroit dans ses rapports avec le monde extérieur et les hommes qui le peuplaient.

Par la suite, elle avait longtemps espéré avoir un enfant, mais ses espoirs avaient toujours été déçus, et elle avait renoncé tout en se demandant parfois, précisément, si son enfant, ce n'était pas Virgile. Elle s'efforçait de ne plus y penser, malgré cette blessure en elle, là, dans son ventre, dans son cœur, la seule vraie souffrance de sa vie lumineuse et protégée, au lieu-dit la Sauvénie, à moins d'un kilomètre de la rivière dont elle ne s'approchait jamais, car elle avait toujours eu peur de l'eau. C'était d'ailleurs pour cette raison qu'elle n'avait pas suivi Virgile cette nuit-là, mais elle comptait bien l'accompagner avec son passager sur la route de Saint-Martial, un village situé à quatre kilomètres de la maison, sur la route nationale qui menait à Périgueux.

Elle s'était donc habillée et elle guettait le chemin qui sinuait, là-bas, sous la lune, en direction de la rivière, mais où rien ne bougeait dans la belle nuit de mai, sinon, par moments, les branches hautes des arbres. Et s'il lui était arrivé malheur ? S'il était tombé sur la patrouille dont le médecin avait dit qu'elle était équipée de chiens depuis le mois dernier, mais dont l'heure de passage ne variait pas : minuit les gendarmes français, trois heures les Allemands ?

Ne voyant rien venir, elle descendit rapidement, sortit, traversa la cour, prit le chemin et, aussitôt, aperçut deux silhouettes à trente mètres devant elle, dont la première lui était familière.

– C'est toi ? demanda-t-elle.

– Qui veux-tu que ce soit ?

Elle s'approcha, salua l'inconnu, puis elle fit demi-tour et passa devant, comme pour leur montrer le chemin.

Une demi-heure plus tard, ils partaient vers Saint-Martial, par le sentier qui coupait à travers les champs et les prés, à pied, car ni Virgile ni Victoria ne savaient conduire une automobile. Au demeurant, ils ne possédaient ni cheval ni charrette, n'en ayant jamais l'utilité : c'étaient les clients qui venaient chercher leurs commandes, et pour les courses ils trouvaient à Monestier tout ce dont ils avaient besoin. De toute façon il n'était pas possible d'emprunter la route nationale avec les clandestins : c'était trop dangereux, le médecin avait bien insisté sur ce point.

Ils ne s'étaient pas attardés dans la maison, simplement le temps de boire un verre de café que l'homme avait savouré sous l'œil inquisiteur de Victoria : il était grand, maigre, avec d'étranges yeux gris, et son visage anguleux était marqué par les épreuves subies au cours de son évasion. Comme il remerciait une nouvelle fois ses hôtes, Victoria se crut autorisée à lui demander s'il venait de loin.

– De Bavière, avait-il répondu.

Et, comme ce mot semblait n'éveiller aucun écho en elle :

– C'est en Allemagne, dans le sud du pays.

Il paraissait tellement épuisé qu'elle n'avait plus osé poser d'autre question. Virgile aussi buvait du café, et il souriait à la pensée de son escapade sur la rivière, tout sentiment de danger l'ayant abandonné.

– On partira quand vous voulez, avait dit Victoria. Dans une heure vous serez en sécurité.

L'homme avait hoché la tête, s'était hâté de finir son verre, puis il s'était levé, remerciant une nouvelle fois avec une touchante sincérité.

– C'est pas grand-chose, allez ! avait dit Victoria. Ça coûte rien, vous savez, de rendre service quand on le peut.

Et ils s'étaient mis en route, avaient longé un champ de maïs dont les feuilles frissonnaient doucement, Victoria devant, tenant la lampe presque inutile tant la lune éclairait la campagne ; tous trois silencieux, mais de plus en plus rassurés au fur et à mesure qu'ils s'éloignaient du village et donc de la ligne de démarcation. De temps en temps, Victoria se retournait pour montrer un obstacle : une racine ou une pierre sur lesquelles ils auraient pu trébucher, puis elle repartait, sans hâte, mais d'une allure régulière, ce qui leur permit d'atteindre Saint-Martial en un peu moins d'une heure.

Le point de chute se trouvait dans la dernière maison à gauche en sortant du village. « Une maison à deux étages et aux volets verts, avait dit le médecin. Vous ne prendrez pas l'escalier et ne monterez pas au premier. Vous frapperez trois coups en bas, à la porte du garage, et vous donnerez le mot de passe : "Victor". Dès que votre passager sera entré, vous repartirez. Inutile de vous attarder, le jour se lève tôt en cette saison. »

À l'entrée de Saint-Martial, un chien se mit à aboyer, si bien que Victoria hâta le pas et quitta la rue principale pour contourner les maisons. Elle connaissait très bien le village et ses habitants, mais pas ceux de la demeure où ils étaient attendus car elle était habitée par des gens venus de la ville quelques années auparavant. Les maisons s'étalaient sur près de trois cents mètres, et pas la moindre lumière ne brillait à l'intérieur, ce qui était plutôt rassurant.

Une fois à l'extrémité du village, Victoria s'aperçut qu'on ne distinguait pas la couleur des volets, mais il y avait une seule maison à deux étages sur la gauche. Elle n'hésita pas à traverser la route et à frapper fermement trois coups à la porte de ce qui, effectivement, semblait bien être un garage. Au bout de quelques secondes, elle entendit des pas à l'intérieur et donna le mot de passe. La porte s'ouvrit aussitôt, et elle s'écarta pour laisser passer l'homme qui, avant d'entrer, l'embrassa. Il serra ensuite la main de Virgile, remercia une nouvelle fois, et disparut à l'intérieur.

Elle se retrouva brusquement seule avec son mari, un peu désemparée par la facilité avec laquelle tout s'était déroulé, mais surtout à cause de ces deux baisers sur ses joues, de cette sorte de reconnaissance à laquelle elle ne s'était pas du tout attendue, persuadée qu'ils n'avaient couru aucun risque et qu'ils n'avaient nul mérite à faire ce qu'ils avaient fait.

– Allez, on s'en retourne ! dit-elle.

Elle prit le bras de Virgile, puis ils sortirent du village en quelques minutes et parcoururent le même chemin de terre qu'à l'aller, entre les champs et les grands prés qui se succédaient, carrelant la vallée de pièces plus ou moins vertes. Au bout d'un kilomètre, elle s'arrêta brusquement et dit à Virgile, avec un brin de malice :

– Au début qu'on se connaissait, la nuit, tu savais me faire des compliments.

Il rit, l'attira contre lui :

– C'est que je te connaissais mal. Mais aujourd'hui je sais à qui j'ai affaire.

– Et à qui, s'il te plaît ?

– Je préfère le garder pour moi.

– Pourquoi ?

– Parce que j'ai peur que tu ne veuilles plus sortir la nuit avec moi.

– Oh, cet homme ! s'exclama-t-elle. Qu'est-ce que j'ai fait au bon Dieu pour qu'il m'ait envoyé un individu pareil ?

Ils repartirent l'un derrière l'autre, dans la nuit qui se faisait humide maintenant, avec le peu de rosée que l'approche du petit jour répandait sur la terre. Aucun bruit ne venait troubler le silence, pas même les plus hautes branches des arbres que nulle brise n'agitait. Ils avaient hâte de regagner l'abri de leur maison, non parce qu'ils se sentaient en danger, mais parce que c'était là qu'ils partageaient le mieux ce qu'ils avaient en commun, depuis toujours, et qui leur était cher.

Une fois chez eux, dans la salle à manger dans laquelle ils passaient l'essentiel de leur temps, ils s'assirent face à face, comme à leur habitude, au lieu d'aller se coucher. C'était la plus grande pièce de la maisonnette. À l'opposé de la table en bois de merisier sur laquelle ils prenaient leurs repas, se trouvait la cheminée ouverte où Victoria faisait la cuisine, dans ses marmites et ses faitouts, sur un trépied vieux comme le monde. À gauche, un buffet double, aux portes sculptées de gibier à plume, abritait les assiettes, les couverts et, en bas, les torchons et les serviettes dont Victoria faisait grand usage. À sa droite, une pendule au bois lustré mesurait le temps. Au fond, à l'opposé de la cheminée, une souillarde voûtée au sein de laquelle se trouvait l'évier en pierre servait à la fois de cabinet de toilette et d'endroit où Victoria faisait la vaisselle. En face du buffet, un escalier droit – qui tenait plus d'une échelle de meunier que d'un véritable escalier – conduisait à l'étage où se trouvaient deux petites chambres meublées de lits anciens à dosseret.

C'était là leur univers familier, leur unique richesse avec la grange et l'atelier, mais qui leur donnait la conviction de vivre en toute liberté et en sécurité, entre des murs qui ne devaient rien à personne, sinon au travail du père de Virgile et de Virgile lui-même.

– Et voilà ! dit Victoria en soupirant. Tu vois ? C'était pas la peine de s'inquiéter.

– Je ne m'inquiétais pas, protesta Virgile.

Elle sourit, ajouta :

– À mon avis, c'est le premier voyage, mais ce n'est certainement pas le dernier.

– Tu crois ?

– J'en suis sûre. Il doit y en avoir, des gens qui veulent passer la ligne. Vivre au milieu des Allemands, c'est pas facile, je m'en rends compte quand je vais à Monestier.

– On peut pas dire qu'ils nous aient fait beaucoup de mal jusqu'à maintenant, observa Virgile.

– Évidemment ! Toi, tu vivrais avec n'importe qui ! Tu ferais même confiance à un bandit de grand chemin.

Il haussa les épaules.

– On ferait mieux d'aller se coucher, parce que demain il faut que je finisse à tout prix la porte des Mérillou.

– Ça fait trois mois qu'elle devrait être livrée, fit remarquer Victoria sans parvenir à dissimuler une pointe d'agacement.

– Je sais, je sais, protesta Virgile, ça fait trois mois que tu me le dis tous les matins.

Il se leva, se dirigea vers l'escalier, attendit quelques instants et dit avant de poser le pied sur la première marche :

– Il avait l'air bien fatigué, ce pauvre homme. On aurait peut-être dû le garder pour la nuit.

Victoria ne répondit pas. Pensive, elle s'empara des verres de café abandonnés sur la table et les porta dans la souillarde en soupirant. Ensuite, comme désœuvrée, elle tourna trois ou quatre fois dans la pièce, songeant avec satisfaction à tous ces étrangers qui, peut-être, entreraient dans sa maison, apportant avec eux un peu de cet air qu'on respirait ailleurs et qui, pour elle, était chargé de tous les charmes, de tous les mystères de l'inconnu.

2

UNE chaleur épaisse s'était abattue sur la vallée où Virgile, en ce dimanche de la mi-août, avait gagné la berge de la rivière pour trouver un peu de fraîcheur. Il faisait tellement chaud qu'il n'avait pas la force de pêcher. Adossé à un frêne, il avait rabattu son chapeau sur ses yeux, cherchant à s'endormir, mais il n'y parvenait pas. En fait, il se demandait comment il était possible qu'il se trouvât, lui, en zone libre, alors que la rive d'en face se situait en zone occupée, comme en territoire allemand. À l'abri des frondaisons, écoutant le murmure de l'eau, à moitié dissimulé dans l'herbe verte, il ne pouvait pas se faire à cette idée d'une France coupée en deux, et il ne l'aurait jamais cru s'il n'y avait eu ces soldats allemands sur la route nationale, sur le pont, et, aussi, de temps en temps, le souvenir de sa mission, la nuit où il avait fait passer la rivière à l'évadé de Bavière.

Depuis, le Dr Dujaric était revenu une fois pour

leur demander s'ils accepteraient de recommencer, et Victoria, sans même consulter Virgile, lui avait donné leur accord sans la moindre hésitation. Pour tout dire, Virgile était impatient, car il n'imaginait pas courir le moindre danger, du fait que tout s'était passé facilement la première fois. Il se redressa un peu, aperçut un banc de vandoises qui remontait le courant le long de la berge, regretta de ne pas avoir pris sa ligne, puis il rabattit de nouveau son chapeau et s'assoupit quelques instants.

Des voix, derrière lui, l'alertèrent brusquement. Il souleva son couvre-chef, se retourna, aperçut deux gendarmes français qui approchaient, l'arme à la bretelle. En uniforme noir, pantalon galonné, bottés, coiffés d'un képi, ils ne ressemblaient en rien aux gendarmes que l'on apercevait parfois au bord des routes avant la guerre. Quelque chose en eux avait changé, mais quoi ? Virgile n'eut pas le temps de se poser la question, car l'un d'eux, moustachu, très maigre, les yeux noirs, pointa son arme sur lui en demandant brutalement :

– Qu'est-ce que vous faites là, vous ?

– Eh ! fit Virgile, je me repose.

– Pourquoi ici ? fit le second, plus petit mais plus gros, les yeux chassieux, un sourire suspicieux sur les lèvres.

– J'ai mon atelier à côté, là, derrière, à cent mètres.

– Un atelier de quoi ?

– Je suis menuisier. Tout le monde me connaît ici.

– Pas nous, fit le premier gendarme, qui semblait diriger la patrouille.

Virgile réalisa alors que ces deux fonctionnaires n'étaient pas de la région. Ils avaient sans doute été envoyés sur la ligne de démarcation depuis peu avec des consignes strictes, et il conçut de cette réflexion une désagréable impression de culpabilité.

– Comment vous appelez-vous ?

– Je vous dis que tout le monde me connaît. C'est pas la peine de faire une enquête.

– Et moi, je vous demande une dernière fois de me répondre. Et d'abord, levez-vous !

Virgile soupira, se leva, épousseta son pantalon en se demandant ce qui se passait, là, sur la berge de sa rivière familière où jamais personne ne l'avait inquiété.

– Alors ! Comment vous appelez-vous ?

– Virgile Laborie.

– Vous êtes menuisier ?

– Je vous l'ai déjà dit.

– Expliquez-moi ce que vous faites au bord de la rivière si vous ne pêchez pas ?

– Je faisais la sieste.

– Pourquoi pas dans votre atelier, si vous en avez vraiment un, comme vous le prétendez ?

– Il fait plus frais au bord de l'eau.

Les deux gendarmes ne paraissaient pas

convaincus. Ils se balançaient d'un pied sur l'autre, sans impatience apparente, avec le sentiment de supériorité que leur conféraient leurs armes et leur uniforme.

– Ou alors vous attendiez quelqu'un qui viendrait de l'autre côté pour se réfugier en zone libre..., suggéra le plus petit avec un sourire entendu.

– Mais non, s'indigna Virgile. Je dormais, vous l'avez bien vu.

– Bon ! décida le brigadier, vous allez nous suivre et nous éclaircirons tout ça au poste.

Virgile hocha la tête, soupira :

– Que d'affaires pour pas grand-chose !

Mais, en même temps, au souvenir de l'évadé de Bavière, malgré lui il se troubla, se demandant s'il n'avait pas été dénoncé. Quelques secondes de réflexion suffirent pour qu'il se rassure en se disant que c'était impossible : cette nuit-là ils n'avaient pas rencontré âme qui vive et personne ici, dans la vallée, n'était capable de dénoncer qui que ce soit.

Il se mit en route en haussant les épaules, un peu honteux, toutefois, de marcher ainsi entre deux gendarmes comme un malfaiteur. Heureusement, la canicule reléguait les gens à l'intérieur des maisons, et nul témoin n'assista à ce qui aurait pu être comique si les gendarmes n'avaient pointé leur arme sur Virgile, comme s'il s'agissait d'un véritable criminel.

Moins d'un kilomètre séparait l'atelier de l'extrémité du village où se trouvait le poste depuis l'installation de la ligne de démarcation. Il leur fallut à peine un quart d'heure pour atteindre la maison réquisitionnée qui servait de quartier général aux gendarmes et aux GMR français, le poste de Monestier, de l'autre côté, ayant été investi par les militaires allemands. Les gendarmes entraînèrent Virgile dans un bureau sur lequel trônait une vieille machine à écrire. Ils le firent asseoir sur une chaise au dossier fendu, et recommencèrent à le questionner. Virgile comprit que, de leur point de vue, rien ne pouvait justifier la présence d'un homme qui ne pêchait pas au bord d'une rivière. Et, de nouveau, il se troubla, ce dont s'aperçurent les gendarmes qui, aussitôt, le poussèrent dans ses retranchements, en le pressant de questions sans même lui laisser le temps de répondre.

Virgile avait chaud, très chaud, mais aussi très soif. Cette violence verbale à laquelle il était confronté pour la première fois de sa vie, il la vivait douloureusement et il essayait d'imaginer quelle conduite Victoria aurait adoptée, si elle avait été à sa place. Les armes sur le bureau laissées bien en évidence, les paroles blessantes des hommes penchés vers lui, la haine qu'il percevait dans leurs voix sans en comprendre les raisons, tout lui était hostile, car il n'y était pas préparé.

Il n'avait plus qu'une idée en tête, à laquelle il s'accrochait désespérément : sortir de ce bureau à n'importe quel prix, gagner le refuge de son atelier et n'en plus bouger avant le soir. Il était prêt à tout pour cela, et peut-être aurait-il avoué n'importe quoi si, enfin, au bout d'une demi-heure, le gendarme Petitjean, qu'il connaissait bien pour avoir bu quelques verres avec lui avant la guerre au café situé sur la place de Monestier, n'avait surgi dans le bureau et dit en le découvrant :

– Qu'est-ce que tu fais là, toi ?

– Je me le demande, répondit Virgile.

– Vous connaissez cet énergumène ? demanda le brigadier qui avait mené l'interrogatoire.

– Bien sûr, répondit en souriant le gendarme qui venait d'apparaître. C'est Virgile, le menuisier de la Sauvénie.

Et il ajouta, tandis que les deux autres ne pouvaient cacher leur déception :

– Laissez-le partir, allez ! S'il y en a un qui ne peut être suspecté de quoi que ce soit, c'est bien celui-là.

Cinq minutes plus tard, après que le gendarme Petitjean eut confirmé qu'il possédait bien un atelier près de la rivière, Virgile s'éloignait du poste avec soulagement, mais profondément meurtri par ce qui venait de se passer. La lumière du mois d'août lui paraissait moins belle, il ne distinguait plus les fleurs des champs, et il lui semblait que même le ciel avait changé de couleur. Si la guerre avait toujours été à ses yeux lointaine, comme irréelle, il venait de comprendre qu'il n'en était rien. Elle était là, à sa porte, et menaçait tout le monde, même ceux qui ne s'en préoccupaient pas et vivaient à l'écart.

Il ne s'apaisa que lorsqu'il fut assis à l'abri dans son atelier, sur le fauteuil en bois de fruitier qu'il avait fabriqué lui-même, et qu'il eut retrouvé son univers familier : l'établi, les planches, l'odeur de la sciure, les outils posés un peu partout : marteaux, rabots, scies, varlopes, gouges, tout ce qu'il maîtrisait parfaitement, et depuis toujours. Son cœur battait encore très fort, mais de colère maintenant. Il avait mesuré sa faiblesse, sa fragilité, son impuissance au contact de la violence. Il s'en voulait d'autant plus qu'il comprenait qu'il aurait pu mettre en péril d'autres que lui : le Dr Dujaric, Victoria, et les gens de Saint-Martial.

Il se leva, s'empara d'une scie et se mit à couper des planches qu'il avait mesurées la veille, avec des gestes familiers qui le réconfortèrent définitivement. Il se jura qu'à l'avenir on ne le prendrait plus au dépourvu. Gendarmes ou pas, il saurait faire face. Et cette conviction grandit au fil des minutes, tandis qu'il rabotait les planches consciencieusement, avec l'application qu'il manifestait dans chaque geste du métier. Il ne vit pas les heures passer, et lorsqu'il consulta sa montre, elle indiquait sept heures et demie. Il rangea rapidement ses outils, poussa la porte de l'atelier qu'il ne fermait jamais à clef et se mit en route vers la maison où l'attendait Victoria.

– Où étais-tu passé ? s'exclama-t-elle quand elle l'aperçut sur le seuil, avec un drôle de regard.

Et, sans lui laisser le temps de répondre :

– À la pêche ?

– Non, dit-il aussitôt, comme pour se débarrasser d'un fardeau. J'ai été arrêté et on m'a emmené au poste.

– Qu'est-ce que tu me racontes ? fit Victoria en apportant la soupière sur la table.

Il eut à peine le temps de s'expliquer que la voiture du médecin se garait dans la cour. Ils l'auraient reconnue entre mille, même sans la voir, au grondement des huit cylindres qui semblait ne jamais s'éteindre même une fois le moteur coupé. Dujaric surgit comme à son habitude avec une rapidité surprenante pour un homme aussi corpulent.

– Excusez-moi, dit-il, vous étiez sur le point de souper.

– Vous allez manger avec nous, proposa Victoria en se dirigeant vers le vaisselier pour ajouter une assiette.

– Si vous voulez, mais en vitesse, parce que j'ai encore une demi-douzaine de visites.

Il s'installa sans façon, annonça tout en prenant la louche que lui tendait Victoria :

– J'ai encore besoin de vous.

– L'embêtant, dit Victoria, c'est que Virgile a été arrêté.

– Comment ça, arrêté ? demanda le médecin, stupéfait. C'est arrivé quand ?

– Cet après-midi, fit Virgile, penaud, comme s'il était coupable de trahison.

Et, devant le médecin contrarié, il raconta en quelques mots ce qui s'était passé, en insistant sur le fait qu'il n'avait dû son salut qu'à l'intervention du gendarme Petitjean.

– C'est vrai que depuis l'installation de la ligne de démarcation, de nouveaux effectifs sont arrivés de Périgueux, expliqua le médecin. Ils ne connaissent personne et ont tendance à faire du zèle, mais ça ne va jamais bien loin. Il ne faut pas vous inquiéter.

– Mange ! fit Victoria à l'adresse de Virgile qui était suspendu aux lèvres de leur visiteur.

– Mais ce n'est pas la peine de prendre des risques inutilement, reprit celui-ci. Il vaudrait mieux ne pas trop vous approcher de la rivière quand ce n'est pas indispensable.

– Tu vois ! fit Victoria, je te l'avais dit.

Ils se mirent à manger un instant en silence, puis le médecin reprit :

– Si vous le voulez toujours, c'est pour demain soir, à la même heure que la dernière fois.

Il guetta leur approbation, et, comme elle paraissait évidente, il poursuivit :

– Il y aura une femme et une petite fille.

Étonnés, Virgile et Victoria levèrent la tête en même temps et suspendirent leurs gestes.

– Oui, confirma le médecin, une femme et une petite fille, mais je vous dois la vérité : elles sont juives.

Il y eut un instant de silence, puis Victoria demanda :

– Et alors ?

– Et alors, depuis le 2 juin dernier, est entré en vigueur un second statut des juifs qui restreint davantage leurs droits que le premier, lequel date d'octobre 40.

Virgile et Victoria dévisagèrent leur visiteur comme s'ils ne comprenaient toujours pas.

– Ce qui signifie que les juifs sont menacés et qu'il va donc en passer de plus en plus. Mais on n'a pas le droit de les protéger. On risque la prison et peut-être plus encore. Je me devais de vous le dire.

Victoria avala une cuillerée de soupe et demanda :

– Et pourquoi on leur fait tant de misères, à ces gens ?

Le médecin soupira, se versa un verre de vin, expliqua :

– Ce sont les nazis qui les pourchassent. Ils prétendent qu'ils sont la source de tous leurs maux, que ce sont des voleurs, qu'ils dénaturent la race aryenne, qu'ils sont des sous-hommes, et je ne sais quoi encore. Le 14 mai, ils ont arrêtés les juifs étrangers de Paris.

– Comme s'ils n'avaient pas deux bras et deux jambes comme tout le monde ! soupira Victoria.

– En effet.

Le médecin se tourna vers Virgile qui était resté silencieux, vaguement absent, et demanda :

– Et vous, Virgile, qu'en pensez-vous ?

– Qu'est-ce que vous voulez que j'en pense ? C'est bien malheureux tout ça.

Et il ajouta, après s'être passé la main sur ses yeux dans un geste familier qui donnait l'impression qu'il n'était jamais tout à fait réveillé :

– Surtout qu'ils ont des enfants, ces pauvres gens.

– À ce sujet, je voudrais vous parler d'un problème, reprit le médecin : la mère doit repartir aussitôt et je n'ai pas encore trouvé de famille d'accueil pour la petite.

– On va la garder, fit Victoria tout à trac, comme si elle n'avait attendu que cela.

– Vous êtes trop près de la ligne, c'est dangereux. Il me faut le temps de lui procurer des faux papiers.

– Que tant d'affaires ! s'exclama Victoria, ce sera la fille de ma sœur, voilà tout. Qu'est-ce qui l'empêche de venir passer des vacances chez sa tante, tout de même !

– Je vous répète que c'est dangereux pour eux comme pour vous. Je préférerais qu'ils s'éloignent de la ligne.

– À part vous, personne ne vient jamais chez

nous, précisa Victoria. Les clients de Virgile se rendent tous à l'atelier.

Le médecin hésita, finit par concéder :

– C'est d'accord, vous la garderez jusqu'à ce que je trouve un point de chute moins dangereux.

– Oui, oui, on verra, dit Victoria, ne vous inquiétez pas. Tenez, mangez plutôt un peu de cette omelette. Vous ne serez pas rentré chez vous avant la nuit, comme d'habitude.

Le médecin consulta sa montre, soupira :

– Je suis déjà en retard.

Mais il tendit quand même son assiette et, tout en mangeant, il donna à Virgile des instructions précises pour le lendemain soir : mêmes mots de passe, même heure, mais il faudrait raccompagner la mère de l'enfant à quatre heures, après le passage de la patrouille allemande.

Il avala son omelette à la vitesse d'un ogre affamé, se leva, remercia, fit quelques pas puis, se retournant sur le seuil, lança :

– Vous êtes de braves gens.

– Oh ! s'exclama Victoria, on est comme tout le monde.

– Non, Victoria, vous n'êtes pas comme tout le monde.

– C'est pas des choses à dire ! fit-elle, comme si cette supposée différence était source d'infâmie.

Ils suivirent le médecin jusqu'à sa voiture, lui serrèrent la main et demeurèrent immobiles un moment, une fois que le véhicule eut disparu derrière les arbres de la route dans son vrombissement habituel. La nuit tombait avec des froissements de velours, une nuit chaude, épaisse, que traversaient là-haut, comme souvent en cette saison, des étoiles filantes. Une nuit qui eût ressemblé à toutes celles qu'ils avaient vécues dans l'insouciance et, sans doute, le bonheur, s'il n'y avait eu en eux la sensation d'un danger à laquelle se mêlait, pourtant, celle d'un vide enfin comblé, à la perspective d'accueillir une enfant dans leur maison.

Victoria bougea la première, revint vers le seuil, s'assit sur le petit banc de pierre à droite de l'entrée, aussitôt rejointe par Virgile.

– Je me demande comment elle s'appelle..., murmura-t-elle.

– Qui ça ?

– La petite, pardi ! Tu as déjà oublié ?

– Non, je n'ai pas oublié, mais ne te mets pas des idées dans la tête : le Dr Dujaric a dit qu'elle ne pourrait pas rester ici.

– On verra, dit Victoria.

Ils se turent, écoutèrent chanter les premiers grillons dans les chaumes, à gauche de la maison. Perdus dans leurs pensées, ils avaient déjà oublié l'arrestation de Virgile. Il ne leur tardait qu'une chose : être au lendemain, ouvrir leur porte à cette femme et à cette enfant inconnues dont la nuit allait leur faire présent.

La journée leur parut longue, interminable. Victoria fit le ménage dans la chambre voisine de la leur, mit des draps propres dans le lit, nettoya la maison de fond en comble. Virgile travailla dans son atelier comme à son habitude, mais il avait la tête ailleurs. Au début de l'après-midi, alors qu'il s'apprêtait à repartir après le déjeuner, des grondements d'orage se firent entendre à l'ouest, provoquant les soupirs de Victoria :

– Il manquait plus que ça ! s'exclama-t-elle.

Les grondements s'éloignèrent, mais ils se firent entendre de nouveau vers sept heures du soir, alors que Virgile rentrait, et des nuages au ventre d'ardoise montèrent rapidement à l'horizon.

– Qu'il éclate au moins avant la nuit, fit Victoria, tandis que Virgile, sans le dire, s'inquiétait du fait qu'il n'y aurait pas de lune.

Le ciel creva un peu avant huit heures, déversant des trombes d'eau qui noyèrent rapidement la campagne alentour, alors que Victoria, debout derrière la fenêtre, guettait une accalmie tout en s'impatientant. Virgile, lui, pensait que l'eau de ruissellement rendrait la berge glissante et se disait qu'il allait devoir aider ses passagères à descendre vers la rivière.

– Je te suivrai, décréta Victoria, et je tiendrai la lampe.

– Quatre sur la barque, c'est trop, surtout si l'eau monte.

– Alors, j'attendrai sur la rive.

Virgile soupira : il aimait bien être seul dans cet univers d'arbres et d'eau à cause de cette sensation de liberté qu'il éprouvait chaque fois, et donc de cette conviction que nul, ici, ne pouvait influer sur sa vie, l'obliger à se presser, lui interdire de s'abandonner à son penchant naturel. Il avait depuis toujours l'impression, sans jamais l'avoir clairement formulée en lui, que ce monde lui appartenait en propre et qu'il n'avait pas à le partager.

– Tu ferais mieux de rester ici pour faire réchauffer la soupe, dit-il. Elles auront sûrement faim.

– Non, fit Victoria. Cette nuit, je te suivrai.

Il n'insista pas car il savait que c'était inutile : quand Victoria s'était mis une idée en tête, pas une seule fois, à sa souvenance, il n'avait réussi à la faire changer d'avis. Dehors, l'orage s'acharnait toujours sur la vallée, ponctué d'éclairs fauves et de coups de tonnerre qui roulaient interminablement vers Périgueux.

Ils se mirent à table, mangèrent sans parler, écoutant l'orage qui ne s'éloignait pas. Après la soupe, un morceau de porc confit et un peu de fromage, Victoria débarrassa la table et fit la vaisselle dans la souillarde, tandis que Virgile se mettait à lire le journal, après avoir chaussé des lunettes rondes qui n'étaient pas vraiment adaptées à sa vue.

– Tu ferais mieux de monter, dit-elle. Essaye de dormir un peu.

Et, comme il faisait mine de ne pas avoir entendu :

– Je te réveillerai, ne t'inquiète pas.

– Parce que tu crois que je vais pouvoir dormir, avec ce carnaval au-dessus de la tête ?

Elle haussa les épaules, murmura :

– Fais comme tu veux.

Virgile continua à lire encore quelques minutes, puis il replia le journal et monta dans la chambre, s'étendit sur son lit et ferma les yeux. Aussitôt, le souvenir des gendarmes qui l'avaient surpris au bord de la rivière resurgit désagréablement en lui. Il tenta de le chasser en se remémorant les paroles du médecin et se demanda si le passage n'allait pas être annulé à cause du mauvais temps. Il s'aperçut alors que cette idée le contrariait. Était-ce parce qu'il ne pourrait pas s'approcher de la rivière ou parce qu'il n'y aurait pas dans sa maison, dès cette nuit, une enfant inconnue ? À quoi ressemblerait-elle, cette petite ? À ces gamines qu'il apercevait parfois, à Monestier, dans la cour de l'école ? Puis il se demanda si Victoria obéirait au médecin quand il aurait trouvé un refuge plus éloigné de la ligne de démarcation. Autant de questions qui ne trouvaient pas de réponses et qui l'empêchaient de s'endormir. D'autant que l'orage continuait de s'abattre sur la vallée et que Virgile s'était toujours aventuré sur la rivière la nuit par beau temps, avec suffisamment de lune pour se diriger sans lampe.

Enfin, au bout d'une demi-heure, il lui sembla que les tambours de l'orage roulaient moins longtemps au-dessus des collines. Il se leva pour ouvrir la fenêtre et, aussitôt, de l'air frais entra dans la chambre, chassant celui qui s'était accumulé pendant les jours de canicule, malgré le soin que prenait Victoria à tenir les fenêtres soigneusement closes. Il se recoucha, réussit à s'assoupir, et bientôt il s'endormit.

Quand Victoria le réveilla, il eut l'impression d'avoir sombré dans le sommeil depuis seulement cinq minutes.

– Quelle heure est-il ? demanda-t-il en s'asseyant dans un sursaut sur le lit.

– Une heure.

Il écouta la nuit au-dehors.

– Il ne pleut plus ?

– Non, ça s'est arrêté vers minuit. Tu peux descendre, dit Victoria, j'ai fait du café.

Il la suivit, alla dans la souillarde se passer un peu d'eau sur le visage puis il revint s'asseoir et but son café, tandis que Victoria préparait la lampe Pigeon. Ni l'un ni l'autre ne parlaient. Ils étaient tendus vers ce qui les attendait, et sentaient au creux de leur estomac une petite morsure qui les alertait désagréablement.

Ils partirent à une heure et demie, respirant mieux dans l'air rafraîchi, écoutant la terre boire l'eau avec de grands soupirs, s'égoutter les arbres dont les branches se délestaient avec de légers frissons qui faisaient croire à des présences cachées. Ils s'habituèrent aux bruits et à l'obscurité, s'attachèrent à la pâle lueur de la lampe devant eux, avançant lentement, sans se presser, car ils se savaient en avance. Au bout de cinq cents mètres, Victoria, qui marchait devant, s'arrêta, et Virgile, occupé par la pensée qu'il y aurait de l'eau dans sa barque, vint buter contre elle en jurant. Ils attendirent un instant, écoutant la nuit pleine de murmures et de ruissellements, tentant de voir loin devant eux, mais en vain.

Aux abords de la rivière, Virgile constata que les eaux avaient été grossies par l'orage, mais il comprit en arrivant qu'il n'y avait aucun danger à traverser. Il fallait deux ou trois jours de pluie pour que la rivière soit en crue.

– Éclaire-moi ! dit-il à Victoria.

Il descendit vers la barque située deux mètres en contrebas de la rive, se retenant aux branches de deux genêts, puis il embarqua et sentit l'eau lui mouiller les pieds.

– Je vais écoper doucement, dit-il. Tu peux éteindre, j'ai pas besoin d'y voir.

L'obscurité se fit et les enveloppa tout en les rassurant. Virgile s'activa sans faire de bruit, pesant du côté gauche pour faire se rabattre l'eau sous l'écope en bois qu'il gardait toujours dans la barque sans même l'attacher. C'était à peine si l'on entendait l'outil racler le fond du bateau, puis se déverser dans la rivière. Il ne fallut pas plus de cinq minutes à Virgile pour vider la barque. De nouveau, ils écoutèrent la nuit, mais rien ne venait la troubler, sinon le murmure de l'eau.

– Je vais traverser, dit Virgile, et j'attendrai de l'autre côté. Il vaut mieux qu'on soit séparés, on ne sait jamais.

– Fais attention.

– Mais oui. Quand je repasserai, tu allumeras une fois pour me guider.

– Et comment je saurai ?

– Je sifflerai.

Il s'empara de la rame et poussa doucement pour décoller la barque de la berge. Il comprit aussitôt que l'eau était un peu plus haute qu'il ne l'avait cru, mais au moins il n'aurait pas à éviter la gravière du milieu du lit. Pourtant, à cause de l'obscurité, il atteignit la berge d'en face un peu en aval, à un endroit où il n'y avait pas d'accès à la rivière, et il dut remonter la rive sur dix mètres. Il attacha la barque au saule qu'il connaissait bien et monta sur la berge en se tenant aux branches pour ne pas glisser. Une fois en haut, il écouta : rien de suspect, pas le moindre bruit de pas, mais il savait qu'il était en avance, au moins d'un quart d'heure. « Je suis en zone allemande », songeat-il vaguement, mais il chassa très vite cette pensée de son esprit.

Il n'attendit pas longtemps. À peine s'était-il rencogné contre un arbre depuis cinq minutes que trois silhouettes surgirent à quelques pas de lui : deux grandes et une petite. Sans une hésitation, il fit un pas en avant, se figeant au milieu du sentier. Les trois ombres s'arrêtèrent, puis celle d'un homme murmura :

– « Demain, dès l'aube, à l'heure où blanchit la campagne ».

– « Je partirai », fit Virgile. Venez vite !

L'homme se tourna vers les deux silhouettes qui attendaient un peu à l'écart, leur fit signe d'approcher, et dit à Virgile :

– Voilà : c'est Judith et sa fille, Sarah. Il faudra repasser la mère à quatre heures. Je vous attendrai au même endroit.

– Je serai là, dit Virgile.

Puis, à ses passagères :

– Suivez-moi, et tenez-vous la main pour descendre.

Il les précéda sur le petit sentier qui s'inclinait vers la rivière, s'arrêta sur la rive, se retourna, tendit les bras et reçut aussitôt contre lui le corps de la petite. Il vacilla, faillit tomber. Jamais il n'avait ressenti ainsi le poids d'un enfant, respiré un parfum inconnu, éprouvé la chaleur de deux bras soudain serrés autour de sa taille. Ce qui le bouleversa le plus, ce fut cet abandon si total d'un être étranger qui s'en remettait à lui sans la moindre appréhension, avec une telle confiance.

Il inspira bien à fond, se reprit, souleva l'enfant et la déposa à l'intérieur de la barque.

– Assieds-toi et ne bouge pas.

Il reprit pied sur la terre ferme, sentit la main de la mère chercher la sienne, la prit, puis il l'attira doucement et dit tout en se saisissant de la petite valise qui la déséquilibrait :

– Levez le pied droit et avancez.

La barque tangua légèrement, provoquant un petit cri de l'enfant, mais dès que sa mère fut assise, Virgile les rassura :

– Vous ne risquez rien si vous ne bougez pas. Il faut cinq minutes pour traverser.

Une fois au milieu du lit, il siffla, comme convenu, et la lampe le guida. Il traversa sans problème, très vite et, une fois de l'autre côté, il eut simplement un peu de difficulté pour accoster à l'endroit exact où se trouvait Victoria. Comme à son habitude, il présenta la barque de manière à descendre le premier, attacha la corde rapidement et dit à ses passagères, au moment où la lampe se ralluma :

– N'ayez pas peur. C'est ma femme.

Puis il aida l'enfant à se lever, à prendre pied sur la berge, à monter d'un mètre et à tendre une main que saisit Victoria. La petite fut en deux secondes sur la rive, et la lampe se ralluma.

– Éteins ! dit Virgile. J'en ai pas besoin.

Il aida la mère de la même manière et, dès que Victoria l'eut hissée, il vérifia l'amarre de sa barque puis il monta à son tour.

– Merci ! chuchota la femme qui tenait sa fille serrée contre elle.

– Venez ! dit Victoria. Il ne faut pas rester ici.

Ils partirent dans la nuit frémissante d'eau, mais où les étoiles, maintenant, étaient réapparues entre de rares nuages. On y voyait mieux qu'à l'aller. Virgile, qui marchait en dernière position, n'avait qu'une hâte : voir enfin ces passagères inconnues dont le pas hésitant précédait le sien, mais déjà, pourtant, lui semblait familier.

Un quart d'heure plus tard, elles étaient attablées devant lui et mangeaient la soupe chaude que venait de leur servir Victoria. Toutes deux blondes, avec les mêmes grands yeux verts, elles paraissaient étonnées de se trouver là, face à cet homme et à cette femme qu'elles ne connaissaient pas une heure auparavant. De temps en temps, la mère souriait en levant la tête, mais sa fille la gardait obstinément baissée. Même Victoria, d'habitude si prolixe, ne savait que dire.

– Vous en voulez encore ? demanda-t-elle enfin, quand les assiettes furent vides.

– Non, merci. C'est bien comme ça, dit la mère.

Et, d'une voix pleine d'humilité :

– Merci beaucoup, monsieur, madame.

– Je m'appelle Victoria, et mon mari, Virgile.

– Merci, Victoria. Merci, Virgile.

– Oh ! dites ! fit Victoria, vous n'allez pas nous remercier toute la nuit, c'est juste un peu de soupe.

– Je m'appelle Judith et ma fille, Sarah, reprit la femme avec un sourire qui semblait porter toute la tristesse du monde.

Et, aussitôt, avec précipitation, comme si elle se rappelait soudain une tâche urgente :

– Je vais vous payer.

Elle sortit du petit sac en cuir qu'elle portait sur elle une liasse de billets usagés, les posa sur la table.

– Qu'est-ce que vous faites ? demanda Victoria.

Étonnée, Judith répondit :

– C'est pour la garde de Sarah.

– On n'est pas dans le besoin ! s'indigna Victoria.

La passagère parut ne pas comprendre, son visage se ferma :

– Vous ne voulez pas la garder ? demanda-t-elle.

– C'est pas ce que je vous dis, ma pauvre dame, on est bien contents de la garder, votre petite, mais on n'a pas besoin d'argent pour ça.

La passagère fixa sur eux des yeux incrédules, reprit :

– Je peux payer, vous savez.

– Oui, on a bien compris, mais on n'en veut pas, de votre argent.

– Vous n'en voulez vraiment pas ? Et vous allez garder ma fille ?

– Mais oui ! Je viens de vous le dire.

À l'instant où ils aperçurent des larmes dans les yeux de la femme, Virgile et Victoria se crurent coupables, sans savoir de quoi. Sarah, voyant sa mère pleurer, s'essuya les yeux elle aussi.

– Ne vous inquiétez pas ! s'exclama Victoria. On la gardera le temps qu'il faudra, je vous le promets.

– Mais oui, intervint Virgile, ne vous en faites pas.

Et, comme la passagère semblait toujours ne pas comprendre, Victoria prit les billets et les lui remit dans la main.

– Allez, reprenez ça. Vous me ferez plaisir.

La passagère hésita, puis murmura :

– J'ai toujours payé depuis Paris.

– Peut-être, dit Victoria, mais chez nous vous ne payerez pas.

Et elle ajouta, plus doucement :

– C'est comme ça.

Judith caressa la tête de sa fille qui la releva enfin avec, dans le regard, une lueur intriguée.

– Pourquoi faites-vous ça ? demanda-t-elle.

– Pourquoi on fait ça ?

Victoria se tourna vers Virgile, comme pour l'appeler à son secours.

– Vous ne le feriez pas, vous ? Ça fait pas plaisir, vous savez, de voir des gens dans la peine. On n'a pas été élevés comme ça, nous autres, vous savez ! Chez nous, on était nombreux mais tout le monde a toujours mangé à sa faim.

– Nous ne sommes pas de votre famille.

– En voilà une affaire ! Tout ce que je sais, c'est qu'il y en a qui vous veulent du mal, et vous n'avez pas une tête à avoir fait du mal à qui que ce soit. Allez, n'en parlons plus, je vais vous faire voir où va dormir votre petite.

Victoria précéda Judith et sa fille dans l'escalier étroit qui montait à l'étage et Virgile n'osa pas les suivre. Il demeura assis, incrédule, se demandant s'il ne rêvait pas en entendant les pas au-dessus de sa tête, s'il était réellement possible que sa maison abritât une enfant sur laquelle il faudrait veiller jour et nuit, alors que depuis si longtemps il y vivait seul avec Victoria. Il regarda l'horloge dont le balancier émettait un bruit tellement familier qu'il ne l'entendait plus ou à peine, constata qu'il était deux heures et demie et qu'il faudrait bientôt repartir. Il n'en avait plus envie, soudain, il aurait voulu rester là, fermer les portes pour se préserver de cette menace qu'il percevait par moments, de ce danger qui rôdait depuis qu'au printemps le Dr Dujaric leur avait demandé de l'aider.

Les femmes redescendirent, et Sarah vint s'asseoir à la place qu'elle avait occupée, dardant son regard sur Virgile qui ne put le soutenir. Ses yeux étaient si vastes, si pleins de peur, qu'une nouvelle fois il se sentit submergé par l'émotion.

– Tu dois avoir sommeil, dit Victoria.

L'enfant fit signe que non de la tête, et répondit :

– Je veux attendre.

Ils comprirent qu'elle redoutait le départ de sa mère et n'y avait pas totalement consenti. Effectivement, quand ce fut le moment de se séparer, la petite s'accrocha désespérément à Judith qui chercha les mots pour la consoler, lui promettant de revenir très vite, mais sans parvenir à détacher d'elle les bras qui s'étaient noués autour de sa taille.

Ni Victoria ni Virgile n'osaient intervenir. Ils assistaient, impuissants, à cette déchirure à laquelle ils n'avaient pas songé, tandis que la mère tentait de persuader sa fille de la lâcher, avec une voix qui faiblissait de plus en plus. Victoria n'aurait pas bougé si Judith, d'un regard éperdu, ne l'avait appelée à l'aide. Alors elle s'approcha, passa une main dans les cheveux de la petite, et dit simplement :

– N'aie pas peur, elle reviendra, ta maman. Tu es en vacances, ici. Tu verras, tu seras bien et tu m'aideras, toi, au moins, pas comme Virgile qui galope toute la journée comme un bon à rien.

D'un geste calme et doux, elle prit les bras de l'enfant, parvint à les dénouer lentement, et elle les referma autour de sa propre taille. Dans le même temps, elle fit signe à la mère de s'éloigner, mais celle-ci hésita et faillit renoncer. Alors Virgile ouvrit la porte et sortit, invitant d'un geste Judith à le suivre. Quelques secondes plus tard, la porte se referma derrière elle, mais sans atténuer le cri qui s'éleva dans la cuisine où Victoria, farouche et tendre, emprisonnait l'enfant contre elle, de toutes les forces emmagasinées depuis qu'elle rêvait d'être mère.

Dehors, la lune s'était levée dans un ciel débarrassé de tous les nuages de l'orage, enfuis vers d'autres contrées. Virgile avait pris la lampe mais ne l'avait pas allumée.

– Venez vite ! dit-il à Judith, comme pour lui faire croire qu'ils étaient en retard.

Quand elle parvint à sa hauteur, il comprit qu'elle pleurait, et il ne sut que dire. Il n'était pas habitué à un chagrin de femme, Victoria ne lui ayant jamais laissé l'occasion de la consoler.

– Venez ! répéta-t-il, on vous attend.

Il faisait chaud de nouveau, la pluie de la veille n'ayant pas réussi à dissiper totalement la chaleur accumulée sur la terre depuis de longs jours. Virgile avançait lentement, se retournait régulièrement pour vérifier que sa passagère le suivait bien. Au bout d'un moment, cependant, il eut l'impression d'être seul et fit volte-face : là-bas, quelques pas en arrière, Judith n'avançait plus. Il revint vers elle, lui prit le bras, et demanda :

– Qu'est-ce qu'il y a ?

Elle hésita un peu, murmura :

– Je ne la reverrai jamais.

– De qui parlez-vous ?

– De ma fille.

– Mais qu'est-ce que vous dites ? s'exclama-t-il. On va bien s'en occuper, vous savez.

– Oui, je sais, monsieur, j'ai confiance en vous, mais moi, je ne reviendrai jamais.

– Allons ! Ne dites pas de bêtises.

Soudain Judith lui prit les mains, implora :

– Promettez-moi de ne jamais vous en séparer, de veiller toujours sur elle, quoi qu'il arrive.

– Soyez sans crainte, répondit-il, ému par la confiance de cette femme qu'il ne connaissait pas deux heures auparavant.

Et, craignant qu'elle n'hésite encore, il ajouta :

– Venez, s'il vous plaît ! Si nous avons plus d'un quart d'heure de retard, il n'y aura personne de l'autre côté.

Ils repartirent et Judith le suivit sans plus s'arrêter jusqu'à la rivière. Au moment de monter dans la barque, elle eut une ultime hésitation, comme un sanglot qu'elle étouffa de la main, mais il parvint à la faire asseoir et, aussitôt, sans lui laisser le temps de renoncer, il lança l'embarcation en travers du courant. Comme à l'aller, il n'eut aucune difficulté à traverser, et il accosta sans encombre à l'endroit qu'il voulait atteindre, car il avait mesuré la force exacte du courant lors du premier passage.

L'homme qui avait amené les passagères se trouvait bien de l'autre côté, et Virgile, à la voix, eut l'impression qu'il le connaissait. Mais qu'y avait-il d'étonnant à cela, puisqu'il connaissait précisément tous les gens de Monestier et de la région ? Ce devait être comme lui, comme Victoria, un ami du Dr Dujaric.

– Merci infiniment ! dit Judith en lui prenant les mains de nouveau et en les serrant dans les siennes.

Puis, à l'instant de s'éloigner :

– Je vous en supplie ! Veillez bien sur Sarah.

– Ne vous inquiétez pas. Elle ne risque rien chez nous.

Judith se détourna brusquement, suivit l'homme qui s'impatientait à quelques pas de là, et Virgile les regarda disparaître dans l'ombre en songeant à ce qu'elle avait dit sur le chemin : « Je ne la reverrai jamais. » Il ne le croyait pas vraiment, en cet instant, mais il y avait eu une telle détresse dans la voix qu'il frissonna. Puis il revint lentement vers la barque et traversa sans penser à ce qu'il faisait, hanté par le désespoir de cette mère qui venait de lui confier son enfant.

Il se hâta de rentrer, réconforté par les parfums humides de la nuit, retrouvant à présent des sensations familières telles que le bruit de ses pas dans l'herbe mouillée ou le cri d'un hibou dans le grand chêne du chemin, et il sentit tout à coup toute la fatigue d'une nuit de veille retomber sur ses épaules. Quand il ouvrit la porte de sa maison, Victoria l'attendait, assise, et elle murmura, un doigt sur les lèvres :

– Chut ! Ne fais pas de bruit, elle s'est endormie.

3

DES jours et des semaines passèrent jusqu'à un automne très doux, où rien n'annonçait encore le basculement de la saison vers le froid de l'hiver. C'était à peine si un peu de rosée feutrait au matin la lisière des prés, le long des haies vives où lcs baies mûrissaient. Sarah vivait toujours chez Virgile et Victoria. Avec la faculté d'oubli propre aux enfants, elle s'était habituée à son nouvel univers, sous le regard attentif de Victoria qui nc la quittait pas. Elle s'était battue contre le médecin pour garder la petite fille, et il avait fini par céder, tout en fournissant des faux papiers qui, selon le souhait de Victoria, conféraient à l'enfant l'identité d'une de ses nièces : désormais Sarah s'appelait Anne Duchemin, mais il n'était pas question, par précaution, qu'elle fréquente l'école de Saint-Martial, et encore moins celle de Monestier, puisqu'il aurait fallu pour s'y rendre franchir les postes français et allemand et, du même coup, changer de zone.

La Sauvénie se trouvant à l'écart de tout, l'enfant sortait dans la journée avec Victoria sans se cacher, vivait à peu près normalement. Si d'aventure quelqu'un survenait, il était convenu de la présenter comme le prouvaient les papiers : Sarah était la fille de la sœur de Victoria, laquelle ne pouvait la garder car elle était très malade. Mais nul n'était venu à la Sauvénie, si ce n'est le Dr Dujaric qui, chaque fois, rappelait à Victoria qu'il n'était pas prudent de garder cette petite fille si près de la ligne de démarcation et qu'il faudrait bien un jour trouver une autre solution.

– Oui, répondait invariablement Victoria. On verra.

Elle s'était immédiatement attachée à l'enfant avec une passion qui étonnait Virgile, lequel, de son côté, rencontrait quelque difficulté pour communiquer avec la petite. Victoria allait la réveiller le matin doucement, la faisait déjeuner dans la cuisine de lait et de pain frais, puis elle s'occupait d'elle tandis que Virgile gagnait son atelier, non sans se demander comment sa femme réagirait si l'enfant devait un jour les quitter.

Victoria apprenait le travail et les gestes d'une fermière à Sarah, comme si elle devait rester près d'elle toute sa vie. Elle lui montrait comment traire la vache, soigner les poules et les lapins, travailler le jardin, faire la cuisine, et l'enfant, ainsi occupée, parvenait à oublier ses parents. Victoria lui enseignait aussi l'usage des objets ménagers, les coutumes de la campagne, et ne cessait de fortifier ce lien qu'elle devinait de jour en jour plus solide avec la petite. Mais celle-ci n'avait vécu qu'en ville, et elle s'étonnait de tout ce qui l'entourait, non sans raconter, par comparaison, comment elle vivait, elle, à Paris, dans l'appartement du boulevard des Capucines. Elle évoquait le chandelier à sept branches que côtoyait le livre pieux sur des talets de soie, les délicieux « kugels » à la confiture, le piano couleur d'ambre, le jeûne de Yom Kippour, le shabbat du samedi, et Victoria, stupéfaite, ne cessait de l'interroger en se demandant comment des gens qui vivaient dans un même pays pouvaient être si différents.

Sarah avait accordé sa confiance à cette femme et cet homme inconnus chez qui sa mère l'avait conduite, et elle ne se faisait pas prier pour leur confier quelques secrets, racontant leur périple de Paris à Bordeaux, parlant de son père joaillier, de sa mère qui lui manquait tant. Elle se laissait maintenant embrasser, le matin et le soir, y compris par Virgile qui ne l'aurait pas demandé si Sarah, quelques jours après son arrivée, ne s'était approchée de lui et n'avait tendu sa joue dans une attitude si naturelle et si touchante qu'il en avait été bouleversé.

Chaque fois que le soir, à la tombée de la nuit, une ombre de tristesse se posait sur le visage de Sarah, Victoria la prenait par les épaules et la rudoyait un peu, à sa manière, usant de sa tendresse bourrue, de son énergie communicative, de son habitude à n'accorder aucune importance à ce qui pouvait se passer loin de chez elle :

– À quoi vas-tu penser ? lançait-elle en lui caressant la joue. Tu n'es pas bien ici ?

Et, comme la petite ne trouvait pas la force de répondre :

– Tu voudrais me laisser seule avec Virgile, ce galapiat qui n'est pas capable de planter un clou dans cette maison, alors que c'est son métier ?

Virgile prenait un air accablé, baissait la tête, ce qui déridait la petite, surtout quand Victoria ajoutait :

– Il ne sait même pas traire une vache. Regarde-le, ce traîne-savate qui prétend travailler dans son atelier alors qu'il s'en échappe et court les chemins toute la journée.

En fait, Virgile disparaissait aussi la nuit, car les passages clandestins n'avaient pas cessé, mais Victoria ne le suivait plus jusqu'à la rivière car elle ne voulait pas laisser Sarah seule. Depuis l'été, Virgile avait effectué trois allers et retours qui n'avaient pas posé le moindre problème, mais la mère de la petite, elle, n'était pas revenue.

Le Dr Dujaric donnait des nouvelles, non de façon régulière, mais de temps en temps : les parents de Sarah se trouvaient toujours à Bordeaux, mais ils ne pouvaient pas passer en zone libre parce qu'ils n'avaient pas encore trouvé de refuge sûr. Le médecin les aidait dans leur recherche, mais il fallait se montrer prudent. D'ailleurs, à ce sujet, il avait donné à Virgile et à Victoria deux noms de code qu'ils devaient désormais employer dans leurs contacts avec les clandestins. Virgile s'appelait « Barnabé » et Victoria « Aurore ». Les mots de passe aussi avaient changé mais tous étaient tirés d'un poème de Victor Hugo. Ce n'était plus un vers de « Demain, dès l'aube » mais de « Booz endormi ». Le guide devait dire : « sa barbe était d'argent » et Virgile répondre « comme un ruisseau d'avril ». Mais il avait du mal à se le rappeler, confondait ruisseau d'avril et rivière de printemps, ce qui faisait beaucoup rire Victoria, mais pas Dujaric qui se montrait de plus en plus inquiet à propos de la situation : ses contacts à la préfecture prétendaient que les heures de patrouille allemande et française allaient être modifiées avant la fin de l'année, mais ils étaient incapables d'en donner la date exacte. Il fallait attendre avant d'organiser d'autres passages.

Cet état de fait réjouissait Victoria qui tenait à ce que rien ne change dans son petit univers mais contrariait Virgile qui avait pris goût à ces escapades sur la rivière et fini par oublier le danger qu'il courait. Chaque soir, en rentrant de l'atelier, il guettait la voiture du médecin et demandait à Victoria s'il n'était pas venu en son absence, mais non : c'était comme une trêve qui s'était instaurée dans l'aventure nouvelle de leur vie, que seule la présence de la petite Sarah, maintenant, rappelait.

Un dimanche après-midi de la fin octobre, pourtant, leur plus proche voisin, qui était fermier à deux kilomètres de la Sauvénie, surgit à l'improviste avec sa femme dans la cour au moment où Sarah y jouait, sous l'œil vigilant de Victoria. C'était un homme affable, dont l'épouse était une cousine germaine de Victoria, avec qui ils entretenaient les meilleures relations. Virgile les aidait au moment des gros travaux de l'été, et l'homme, qui se prénommait Henri, venait lui couper le foin du pré voisin de la rivière sur lequel était bâti l'atelier. Ils se voyaient un peu moins depuis le début de l'Occupation, du simple fait que les gens se méfiaient les uns des autres. Ce n'était pas un problème pour Virgile et Victoria qui avaient l'habitude de vivre isolés, même si cet isolement avait été accru par les difficultés à se rendre à Monestier.

À l'instant où la charrette apparut dans la cour, Sarah eut un geste d'affolement et courut vers Victoria qui lui dit :

– N'aie pas peur, je les connais.

Et, très vite, elle ajouta à voix basse :

– Tu parleras le moins possible et, quand tu auras dit bonjour, tu monteras jouer dans ta chambre.

Virgile, qui réparait le râtelier à foin dans l'étable, en sortit, s'approcha des visiteurs et les salua en plaisantant comme à son habitude :

– Tu travailles le dimanche, maintenant ! lança-t-il au fermier.

– On dirait que c'est plutôt toi qui travailles le dimanche, répondit celui-ci, car Virgile avait du foin sur sa chemise.

Ce dernier aida Rose, la femme du fermier, à descendre, puis il fit le tour et accompagna Henri attacher le cheval à l'anneau scellé dans le mur de l'étable.

Victoria sentait la petite trembler contre elle et répétait :

– N'aie pas peur, n'aie pas peur.

Elle accueillit Rose sans lâcher la main de Sarah qui tremblait de plus en plus.

– Qu'elle est belle, cette petite ! s'exclama Rose. Mais qui c'est ? Je l'ai jamais vue.

– C'est la fille de ma sœur Marie, répondit Victoria.

– Mon Dieu qu'elle est belle ! répéta Rose. Quel âge ça lui fait ?

– Eh bien, réponds ! fit Victoria.

Sarah ne pouvait pas : depuis le début de la guerre, sa mère lui avait recommandé de ne pas parler à des inconnus.

– Elle a dix ans, dit Victoria, volant à son secours.

Rose se contenta de prendre le menton de

l'enfant dans sa main droite et de murmurer, sans la moindre méchanceté :

– Tu as perdu ta langue !

Sarah recula d'un pas, ce qui provoqua un mouvement d'étonnement chez Rose, mais elle n'insista pas. D'ailleurs Henri et Virgile s'approchaient, le premier expliquant qu'il venait commander des volets dont il avait pris les mesures pour éviter un déplacement au menuisier.

Autant Virgile était rond et fort, autant Henri était grand et maigre, avec un long visage osseux où saillaient les pommettes et les mâchoires. Rose, elle, était brune, de petite taille, avec des cheveux tirant sur le roux, et portait haut un chignon destiné à la grandir, sans doute pour réduire la différence de taille entre son mari et elle.

– Et comment s'appelle cette belle petite ? demanda Henri en s'approchant naturellement pour l'embrasser.

Il s'arrêta net devant le recul de Sarah qui baissait la tête, refusant de livrer son regard.

– Anne. C'est la fille de ma sœur Marie, dit Victoria une nouvelle fois, ajoutant aussitôt :

– Elle est un peu farouche quand elle ne connaît pas.

– Faut pas avoir peur d'Henri, fit Rose. Il n'a jamais mangé personne.

– Dis bonjour ! fit Victoria. Après, tu pourras aller jouer.

L'enfant demeura muette comme si elle savait que sa voix allait la trahir, mais Victoria, qui s'y était habituée, oublia l'accent parisien de la petite et insista :

– Allons ! Dis bonjour !

Sarah releva doucement la tête, défia du regard les deux visiteurs et dit tout bas :

– Bonjour !

Il y eut un long moment de silence, puis Victoria lâcha la main de la petite qui s'enfuit aussitôt vers la maison.

– Rentrez donc ! proposa Victoria pour mettre fin à la gêne qui s'était brusquement installée entre eux. Vous n'allez pas rester debout tout l'après-midi.

Ils s'assirent autour de la table, parlèrent de leur parentèle, de la pluie et du beau temps, puis les deux hommes décidèrent de se rendre à l'atelier afin de choisir le bois des volets. Les femmes demeurèrent seules, non sans prêter l'oreille aux pas qu'elles entendaient de temps en temps, là-haut, à l'étage, puis elles s'entretinrent des difficultés du temps et se confièrent qu'elles allaient de moins en moins souvent à Monestier, que la ligne de démarcation avait vraiment perturbé la vie des habitants de la vallée.

Victoria avait confiance dans sa cousine, mais elle la savait un peu lunatique, et donc capable d'imprudence. Il lui tardait que Virgile et Henri reviennent, mais elle était sûre qu'ils ne se presseraient pas. Ce n'était pas dans leurs habitudes, au contraire : dès qu'ils se retrouvaient, ils en profitaient pour se donner des nouvelles de leurs connaissances, parler de leur jeunesse, des travaux des champs, des changements survenus dans cette vallée qui les avait vus naître.

Victoria avait servi du café à Rose : un café très différent de celui d'avant la guerre car il contenait beaucoup de chicorée et un peu d'orge moulue. Tout en en buvant de petites gorgées, Rose évoqua avec émotion sa fille mariée à Coutras, mais dont l'époux était prisonnier en Allemagne, et qui venait souvent se ravitailler à la ferme en beurre, en œufs et en volailles.

– Qu'est-ce que tu veux, soupira-t-elle, on n'en a qu'une, alors on l'aide du mieux qu'on peut.

Et elle ajouta, plus bas :

– Comme toi, tu aides ta sœur. Mais de quoi souffre-t-elle, au juste, Marie ? C'est pas la tuberculose, au moins ?

Il n'était pas dans les habitudes de Victoria de travestir quoi que ce soit. Elle avait toujours vécu dans la force et dans la vérité.

– La petite n'est pas ma nièce, dit-elle.

– Je l'avais bien compris, fit Rose. Elle a l'accent trop pointu pour une enfant de chez nous.

Victoria, à présent, hésitait, mais elle sentit qu'il valait mieux en dire un peu plus pour ne pas trop intriguer Rose.

– C'est la fille de gens qui habitent Bordeaux et qui ne peuvent pas la garder, reprit-elle.

– Oui, fit Rose, je sais que la vie est devenue difficile dans les grandes villes, et qu'on n'y mange pas toujours à sa faim. Mais elle a plutôt l'accent parisien.

– Ils ont quitté Paris pour Bordeaux afin de se rapprocher de leur famille, précisa Victoria.

Elle se troubla en réalisant que ce qu'elle disait n'avait aucun sens : si leur famille pouvait aider ces gens, pourquoi avaient-ils mis en pension leur fille à la campagne ?

– Ah ! dit Rose.

Et, percevant la gêne qui s'installait, elle ajouta :

– Ne t'inquiète pas, je sais tenir ma langue.

Victoria dévisagea sa cousine, sonda son regard et murmura :

– Elle est juive.

Pourquoi avait-elle fait cet aveu ? Sans doute parce qu'elle avait besoin de savoir à quoi s'attendre de la part des habitants de la vallée. À ses yeux, Rose ressemblait à toutes les paysannes qui pensaient comme leurs maris. Ils faisaient confiance au maréchal Pétain qui avait lancé « une révolution nationale » pour eux indispensable et ne s'inquiétaient pas encore des conséquences d'une collaboration considérée comme un mal nécessaire. Le Maréchal avait sauvé l'essentiel et s'appuyait sur le monde rural pour rebâtir le pays, on pouvait donc le suivre aveuglément…

– La pauvre ! soupira Rose.

– Pourquoi, la pauvre ? demanda Victoria.

– On leur en veut tellement, à ces gens, qu'on se demande s'ils sont vraiment comme tout le monde.

– Eh, bien sûr qu'ils sont comme tout le monde ! s'exclama Victoria. Tu l'as pas vue, la petite ? Elle a deux bras et deux jambes, comme toi et moi.

– Ne te fâche pas, dit Rose, moi ce que j'en dis c'est que j'en entends, mais tu sais bien que je ne leur ferais pas de mal.

Il y eut un instant de silence. Victoria regrettait d'avoir parlé. Ses yeux ne quittaient pas Rose, qui était troublée, lui sembla-t-il.

– Vous risquez gros, dit encore Rose.

– On ne risque rien du tout, fit Victoria.

Et elle ajouta, haussant la voix :

– Sauf si quelqu'un nous dénonce.

– Si par malheur ça arrivait, souffla Rose, tu sais bien que ça ne viendrait pas de moi.

Leurs regards se croisèrent, se jaugèrent. Victoria sentit qu'elle n'avait rien à craindre de sa cousine, mais, en même temps, elle comprit qu'il y avait peu de gens capables de se comporter comme Virgile et elle : la peur s'était répandue sur cette vallée si heureuse avant la guerre.

– Tu ferais comme nous, s'il le fallait, reprit Victoria, dans un ultime défi.

– Non, dit Rose. Henri ne voudrait pas.

– Henri, peut-être, mais toi ?

– Je sais pas, dit Rose... Je crois pas.

Et elle ajouta, observant son verre où le café refroidissait :

– Ce sont des gens qui ont de l'argent, tout de même. On n'est pas du même monde.

Victoria n'insista pas : elle savait ce qu'elle voulait savoir. À part le Dr Dujaric, elle ne pouvait compter sur personne, car la propagande officielle avait réussi à semer la suspicion jusqu'au fin fond des campagnes à l'égard de gens dont on ne savait qui ils étaient ni ce qu'on leur reprochait vraiment. Ce n'était pas clairement défini dans son esprit, mais elle ressentit une hostilité qui représentait un véritable danger. Elle se retrouvait seule, un peu désemparée, dans ce combat qu'elle avait engagé sans réfléchir, avec son seul instinct.

Le silence se serait prolongé entre les deux femmes, si leurs époux n'étaient réapparus dans la cour.

– Ne t'inquiète pas, répéta Rose, je sais tenir ma langue. Même avec Henri.

Mais Victoria se sentit bizarrement coupable et il lui tarda de se retrouver seule avec Virgile et Sarah, laquelle refusa de descendre pour venir dire au revoir aux visiteurs, comme si elle avait perçu elle aussi une menace. Victoria ne proposa pas à Henri d'entrer. Au contraire, elle écourta les adieux, puis revint vers la maison dont elle ferma la porte derrière elle. Là, elle expliqua à Virgile ce qui s'était passé, et il se montra pour une fois moins inquiet qu'elle. Il lui dit simplement, en haussant les épaules, dans un geste fataliste dont il était coutumier :

– Tu sais bien que moins on en dit et mieux on se porte.

Elle garda de cet après-midi-là la sensation d'un danger plus grand qu'elle ne l'avait imaginé : une découverte dont elle se promit de tenir compte à l'avenir.

Début novembre, le Dr Dujaric vint donner des instructions pour un passage de deux personnes le lendemain soir. Il se montra inquiet lui aussi, se demanda à voix haute s'il ne fallait pas marquer une pause car, dit-il, « il sentait comme un étau se resserrer autour de lui ». C'était la première fois que Virgile et Victoria le voyaient aussi préoccupé. Il hésita sur la conduite à tenir, finit par prendre une décision positive, mais fit de longues recommandations à Virgile :

– Surtout, ne prenez aucun risque ! Si vous avez le moindre doute, faites demi-tour. Un passage peut être remis, ce n'est pas grave.

Virgile promit, décidé cependant à mener à bien sa nouvelle mission. Il partit le lendemain dans une nuit agitée de foucades de vent plus froid qui annonçaient un changement de saison. Des bourrasques agitaient la cime des arbres, mêlées d'un peu de pluie, si bien qu'il avait beau prêter l'oreille, il n'entendait rien, sinon le vent, pas même le bruit de l'eau en approchant de la rive. Il était deux heures moins le quart quand il arriva sur la berge pour traverser. Il observa un moment la rive d'en face où les arbres gesticulaient comme des fantômes, et il faillit renoncer. Mais le plaisir de détacher la barque et de se lancer sur la rivière fut le plus fort et il décida de passer l'eau.

Il accosta en cinq minutes sans difficulté et n'attendit pas longtemps pour deviner trois silhouettes devant lui : celle du guide et des deux passagers. Une fois les mots de passe échangés, Virgile entraîna les deux hommes vers la barque, la décolla rapidement de la rive, commença à traverser. Ce fut au milieu du lit qu'il entendit l'aboiement des chiens et aperçut un fanal, là-bas, deux cents mètres en aval, entre le pont et lui. Ce que le médecin redoutait tellement venait de se produire : les horaires des patrouilles avaient changé. Il entendit aussi des cris, se dit qu'il avait peut-être le temps de passer si les chiens trouvaient la piste du guide de l'autre côté. De toute façon, il n'avait pas le choix. Il valait mieux traverser que de rester du côté des Allemands, en espérant que la patrouille française n'aurait pas changé d'heure elle aussi.

– Ne bougez surtout pas, dit-il à ses deux passagers.

L'un d'eux, le plus grand, dont Virgile ne distinguait pas le visage, eut un mouvement de panique qui faillit renverser la barque.

– Restez calme ! ordonna Virgile.

Il accosta au moment où les cris reprenaient là-bas, appuyés par les aboiements furieux des chiens, puis des coups de feu retentirent, résonnant de façon sinistre dans la nuit pleine d'ombres menaçantes. Virgile sauta sur la rive, attacha la barque hâtivement et aida les passagers à descendre. Les deux hommes claquaient des dents, et leur souffle précipité trahissait leur panique. Ils se mirent à courir vers le village et Virgile eut du mal à les remettre dans la bonne direction.

– Suivez-moi. N'ayez pas peur.

De nouveaux coups de feu éclatèrent de l'autre côté, donnant à Virgile l'espoir que le guide avait échappé à la première salve et, peut-être, échapperait à celle qui venait de retentir. Ce devait être un homme qui connaissait bien le terrain, sans doute frontalier de la zone occupée.

Tous les trois couraient maintenant sur le sentier balayé par le vent, mais le plus grand, à bout de souffle, s'arrêta brusquement. Virgile revint sur ses pas, le prit par le bras et le força à avancer en marchant, murmurant des paroles d'encouragement :

– Tenez bon ! On arrive.

Victoria, malgré les rafales de vent, avait entendu les coups de feu. Elle était descendue en chemise de nuit et guettait derrière la fenêtre de la cuisine. Elle ouvrit dès qu'elle aperçut les trois hommes, les fit entrer, referma précipitamment la porte derrière elle et leur servit du café chaud, ce qui réconforta un peu les passagers. Malgré leur différence de taille, ils se ressemblaient : bruns, les cheveux courts, les yeux noirs, ils remercièrent avec une voix qui n'avait pas encore retrouvé toute son assise et qui trahissait une origine étrangère. Ils paraissaient épuisés : manifestement, c'étaient des hommes qui n'étaient pas habitués à courir les chemins. Qui étaient-ils ? D'où venaient-ils ? Il n'était pas question de les interroger, car le Dr Dujaric recommandait de ne pas poser de questions aux passagers.

Pendant que les deux hommes récupéraient de leur course folle, Virgile et Victoria se demandaient quelle conduite adopter : fallait-il suivre les instructions et les emmener dès cette nuit à Saint-Martial ou fallait-il attendre la nuit suivante pour ne pas s'exposer davantage à l'effervescence qui devait régner dans les postes français et allemand ? Victoria opta pour la seconde solution, car elle avait eu très peur en entendant les coups de feu. Les deux passagers, à bout de forces, acceptèrent d'aller dormir dans la grange, au grand soulagement de Virgile, qui ne se sentait pas le courage de repartir sur les chemins dans une nuit si hostile.

Ainsi fut fait. Une fois les passagers à l'abri, Virgile et Victoria regagnèrent la maison en se demandant s'ils n'avaient pas fait une bêtise en désobéissant aux instructions du Dr Dujaric, mais le vent bientôt se calma, et le silence revint sur la vallée, les rassurant définitivement. Ils finirent par s'endormir, oubliant les deux hommes allongés dans le foin, même si leur sommeil demeura agité jusqu'au matin.

Le lendemain, Victoria alla traire la vache de bonne heure, sans attendre Sarah, et elle fit le moins de bruit possible pour ne pas réveiller les clandestins. À peine eut-elle terminé que la voiture du médecin s'arrêtait dans la cour. Il entra dans la maison tel un cyclone, car il était très inquiet de ce qui s'était passé la nuit précédente. Virgile le lui expliqua en quelques mots. Le médecin s'excusa de l'avoir envoyé sur la rivière en sachant que les horaires pouvaient changer.

– Croyez bien que cela ne se reproduira plus, dit-il. Dorénavant, nous prendrons encore plus de précautions. S'il vous était arrivé quelque chose, je ne me le serais pas pardonné.

– Et le guide ? demanda Virgile.

– Il s'en est tiré, mais il est blessé.

Virgile et Victoria lui avouèrent qu'ils avaient gardé les deux passagers au lieu de les conduire à Saint-Martial. Contrairement à ce qu'ils avaient craint, il les approuva.

– Nous allons changer de destination, décida-t-il. Saint-Martial est trop près de la nationale. Il y passe trop de monde. Vous les emmènerez à Reillac, à la lisière de la forêt. La maison où on les attend se trouve à la sortie du village, la dernière sur la droite. Vous ne pouvez pas vous tromper. Rendez-vous à deux heures trente, la nuit prochaine. Les mots de passe sont les mêmes que sur la rivière. Vous êtes d'accord ?

– Je les conduirai, dit Virgile.

– Vous voulez leur parler ? demanda Victoria.

– Non. Ils ne me connaissent pas et il vaut mieux qu'ils ne me voient pas.

Il ajouta, comme pour les rassurer :

– Pour des raisons de sécurité, il y a des intermédiaires entre les passagers et moi.

Il acheva de boire son café, les observa en silence, puis, au moment de s'en aller, il leur dit :

– Vous savez, si vous ne voulez plus continuer, je ne vous en voudrais pas.

– Vous avez quelqu'un pour nous remplacer ? demanda Victoria d'une voix faussement neutre.

– Vous savez bien que non. Personne n'est aussi bien placé que vous, si près de la ligne, possédant une barque et connaissant parfaitement la rivière.

– Alors ?

Le médecin les dévisagea en hochant la tête, puis il leur serra les mains en disant :

– Merci.

Et il ajouta, plus bas, avec une émotion contenue :

– Vous me réconciliez avec les hommes de ce pays.

Il partit, les laissant circonspects sur le pas de la porte, vaguement étonnés d'un jugement qui, à leurs yeux, leur donnait beaucoup plus d'importance qu'ils n'en méritaient. Victoria haussa les épaules, rentra, se mit à la cuisine, et Virgile partit comme à son habitude vers l'atelier, s'arrêtant à plusieurs reprises pour observer les grives et les étourneaux qui avaient depuis peu élu domicile dans la vallée.

Au cours de la nuit qui suivit, Virgile conduisit les clandestins à Reillac, un village situé à flanc de colline, à la lisière de la forêt de la Double, qui sentait bon le pin et le genêt. À quatre kilomètres de la Sauvénie, cette destination lui était familière car il y achetait du bois dans une coupe proche de la dernière maison. Il mena à bien sa mission sans encombre et se sentit moins en danger que lors de ses voyages à Saint-Martial. Il se promit d'en faire part au Dr Dujaric lors de sa prochaine visite.

La vie reprit comme avant cette nuit périlleuse, tout entière orientée vers Sarah qui s'était vraiment attachée à Victoria. C'était une enfant sensible, fragile, mais qui savait manifester ses convictions religieuses, à la grande stupéfaction de Victoria. Ainsi, ce midi où elle avait voulu jeûner le jour de Yom

Kippour et n'en avait pas démordu malgré le confit de canard aux pommes de terre posé devant elle.

– Si tu ne manges pas, tu vas tomber malade, s'était désolée Victoria, et on sera tous bien embêtés.

La petite était restée figée dans son refus de se nourrir, ce qui avait aussi consterné Virgile qui adorait le confit mais n'avait pas cru devoir manger devant l'enfant. Ce fut un grand soulagement pour tous les deux que de la voir se nourrir de nouveau le lendemain. Un autre jour, Victoria avait fait cuire des côtelettes de porc. Le nouveau refus de Sarah l'avait décidée à lui demander de plus amples renseignements sur sa religion. La petite ne s'était pas fait prier pour en donner : elle avait alors expliqué en quoi consistaient les fêtes de Soukkot, Pessah, Chavouot, Hanoukka, Pourim, et livré l'essentiel des croyances et des pratiques de sa religion.

– Mon Dieu ! s'était exclamé Victoria. Que c'est compliqué, tout ça !

– Il ne faut pas prononcer le nom de Dieu, avait rectifié la petite, c'est interdit par la Torah.

Victoria n'en revenait pas.

– Pauvre de moi ! s'exclamait-elle. Je vais y perdre le peu de raison qu'il me reste.

Elle faisait tout son possible pour que Sarah se sente bien et oublie ses parents dont l'absence la faisait souffrir. Et chaque fois que la petite demandait de leurs nouvelles, un fer rouge s'enfonçait dans le cœur de Victoria, qui s'inquiétait :

– Tu ne voudrais pas me quitter, dis ? Tu serais trop malheureuse loin de moi.

– Je reviendrais te voir, répondait Sarah.

Mais à l'idée d'une séparation probable, Victoria s'affolait, serrait la petite contre elle, imaginait des stratagèmes pour la garder, quel que soit le prix à payer. En fait, elle ne parvenait pas à croire que Sarah fût réellement en danger, même quand elle pensait à Rose et à Henri. Elle s'appliquait à le lui démontrer chaque jour, en l'incitant à vivre comme avant la guerre, le plus souvent dehors, sans se cacher, même si le froid avait peu à peu remplacé la douceur de l'automne.

La petite avait baptisé tous les animaux de la basse-cour, se les était appropriés, les soignait elle-même. Elle se rebella le jour où Victoria prétendit gaver les canards, et, bien qu'elle sacrifiât à cette pratique depuis toujours, cette dernière consentit à y renoncer pour la première fois depuis qu'elle était entrée dans la maison de Virgile. Le matin, elles cherchaient les œufs, surveillaient les poules pour découvrir leurs cachettes, changeaient la litière de la vache que Sarah avait baptisée Blondine, car c'était une vache d'Aquitaine, à la robe claire et aux grands yeux étonnés. Ensuite, elles rentraient, faisaient le ménage, s'occupaient de la cuisine, et Victoria questionnait la petite sur ce qu'elle mangeait à Paris ou à

Bordeaux. C'était évidemment très différent de sa propre cuisine, et Victoria s'excusait ainsi :

– Je ne peux pas changer à cause de Virgile, tu comprends ?

Et, comme Sarah hochait la tête pensivement :

– C'est pas bon ?

– Mais si, c'est très bon.

Rassurée, Victoria changeait de sujet, l'invitait à mettre le couvert, à couper le pain, puis elles attendaient Virgile qui était rarement en retard pour déjeuner. Car il aimait manger, en prenant bien son temps, savourant les mets le plus souvent cuits à la graisse d'oie, coupant du pain avec son couteau à manche de corne, buvant le vin des côteaux qu'il se faisait livrer chaque année après les vendanges.

Un jour de novembre, Virgile avait proposé à Victoria de conduire Sarah à l'atelier, de manière à ce qu'elle voie enfin où il travaillait. Victoria y avait consenti : il n'y avait pas grand risque à suivre le chemin entre les prés qui menait à la rivière, surtout en cette saison. Elles avaient donc rejoint Virgile en tout début d'après-midi et elles étaient restées avec lui jusqu'au soir, tant la petite avait été fascinée par l'adresse de Virgile, par tous ces copeaux fleuris entre ses doigts, ces outils mystérieux pour elle mais non pour lui, qui en usait de façon précise, méticuleuse, faisant jaillir entre ses mains des formes harmonieuses, comme douées de vie.

Sarah avait voulu revenir chaque jour, au grand dam de Victoria à qui, ainsi, elle échappait, alors qu'au sein de la maison elle lui appartenait totalement. Un après-midi, désirant mettre un terme à ces sorties, Victoria prétexta une tâche urgente pour ne pas se rendre à l'atelier.

– J'irai toute seule, alors, dit Sarah.

– Tu n'y penses pas ? Toute seule ? Et si tu rencontrais quelqu'un, qu'est-ce que tu ferais ?

– Je dirais bonjour et je continuerais ma route.

– Mais non, voyons ! C'est dangereux.

Sarah fit semblant d'obtempérer, mais elle guetta le moment propice pour échapper à la surveillance de Victoria – qui n'avait d'ailleurs aucune tâche urgente à remplir, l'enfant s'en était rendu compte et en avait été vexée. Quand Victoria s'aperçut de sa disparition, dix minutes plus tard, elle faillit se trouver mal. Elle monta précipitamment dans la chambre, fit le tour de la basse-cour, inspecta l'étable et la grange, mais dut se rendre à l'évidence : la petite était partie. Affolée, Victoria se mit à courir vers la rivière, mais fut obligée de se remettre au pas cent mètres plus loin, ses jambes la portant à peine. Elle arriva à l'atelier à bout de souffle, pour constater, épouvantée, que ni Virgile ni Sarah ne s'y trouvaient. Elle ressortit, appela, mais nul ne lui répondit. Elle eut un vertige, dut revenir tant bien que mal vers l'atelier où elle put s'asseoir, le temps de reprendre des forces.

Dix minutes plus tard, alors que son malaise se dissipait enfin, Virgile surgit dans l'entrebâillement de la porte, mais seul.

– Où étais-tu passé ? s'écria-t-elle.

– Chez Henri. Je suis allé vérifier les mesures pour ses volets.

– Et la petite ?

– Quoi, la petite ?

– Elle s'est échappée, elle voulait te voir.

– Nom de Dieu ! fit Virgile. Où a-t-elle bien pu passer ?

Victoria, anéantie, cria :

– Tu pouvais pas le dire, que tu irais chez Henri ?

– Mais je le savais pas ! plaida Virgile. Je me suis rendu compte qu'il y avait un problème sur un volet en arrivant ici.

– C'est bien toi, ça ! soupira Victoria, qui ajouta : Tiens ! Aide-moi plutôt à me lever.

Il la prit par le bras et ils sortirent, inspectant toutes les directions mais sans apercevoir âme qui vive au milieu des prés et des champs sur lesquels dormaient seulement quelques lambeaux de brume. Victoria essaya d'appeler, mais sa voix s'éteignit dans sa gorge. Ils firent quelques pas autour de l'atelier, puis Victoria s'arrêta subitement.

– La rivière. Si elle s'était noyée ?

Ils se précipitèrent vers l'eau, qui était haute en

cette saison à cause des pluies qui s'étaient succédé sans discontinuer depuis les derniers jours d'octobre. On l'entendait de loin cascader entre les berges devenues glissantes et boueuses. Là, dès que Virgile appela, une voix fraîche et calme lui répondit en contrebas de la rive, une voix qui leur sembla remettre en route le sang figé dans leurs veines.

– Qu'est-ce que tu fais là ? demanda Virgile.

– J'attendais que tu reviennes.

– Vite ! gémit Victoria. Attrape-la ! Elle pourrait glisser.

Virgile descendit d'un pas et, se tenant d'une main à une touffe de genêt, tendit l'autre à Sarah qui la saisit et apparut très vite, souriante, devant Victoria en disant :

– Elle est belle, cette rivière.

– Malheureuse ! fit Victoria en l'attirant contre elle. Tu te rends compte que tu aurais pu te noyer ?

– Je sais nager. J'ai appris à Paris.

Victoria ferma les yeux, soupira, puis, les ouvrant de nouveau, elle jeta à Virgile un regard si noir qu'il le dissuada de prononcer le moindre mot, encore plus de la suivre à l'instant où elle se mit en route vers la maison, son bras passé autour des épaules de Sarah qui, elle, avait noué le sien autour de sa taille.

Virgile, le cœur encore battant, s'assit sur un tas de planches dans son atelier, incapable de se mettre au travail. Pendant quelques secondes, il avait vu la petite noyée, couverte de boue, comme ces cadavres que l'on retrouvait, parfois, après une crue, et il ne s'en remettait pas. L'estomac mordu par une pince géante, il songeait que pour lui comme pour Victoria, Sarah était devenue indispensable, et qu'ils n'accepteraient jamais de la voir s'en aller.

4

Au cours des jours qui suivirent, ils ne trouvèrent pas la force de reparler de cet incident qui leur avait fait si peur. Victoria ne quittait plus Sarah d'une semelle, lui parlait de Noël qui approchait, lui promettait qu'ils assisteraient comme chaque année à la messe de minuit, non pas à Monestier, mais à Saint-Martial.

– Virgile aussi ?

– Virgile aussi. C'est un mécréant, mais à Noël, tout de même, il va à la messe.

Comme lui, elle demeurait préoccupée, car le Dr Dujaric avait donné des mauvaises nouvelles de la zone occupée. À Paris, au début du mois de décembre de cette année 1941, sept cent cinquante personnalités juives de nationalité française avaient été arrêtées, ce qui avait provoqué une vague de panique vers la zone libre. Virgile avait effectué deux passages par semaine, et un autre était prévu la veille de Noël. Lors de sa dernière visite, Victoria avait demandé au médecin si elle pouvait emmener Sarah à la messe à Saint-Martial, mais celui-ci l'en avait dissuadée :

– Ce n'est pas la peine de prendre de risques en ce moment. Il vaut mieux y renoncer.

La déception de la petite avait été à la mesure de l'attente d'un événement merveilleux tel que le lui avait fait apparaître Victoria. Dès lors, cette dernière fit de son mieux pour rendre la maison plus belle, préparant Noël comme si rien ne devait en ternir l'éclat. N'ayant jamais eu d'enfants, ils n'avaient jamais décoré d'arbre ni acheté de cadeaux. Leur solitude n'avait été éclairée que par des réveillons avec les voisins, dont Rose et Henri, au retour de la messe, mais la guerre avait mis fin à ces réjouissances, au demeurant bien ordinaires, au cours desquelles on s'entretenait surtout des nouvelles de la famille proche et lointaine, de ce qui se passait à Monestier, des événements de l'année écoulée.

Mais ce Noël-là n'était pas ordinaire. Aussi Victoria demanda-t-elle à Virgile de couper un genévrier et de confectionner un jouet pour Sarah. Elle-même résolut de se rendre au village, où elle n'était pas allée depuis longtemps, pour acheter un cadeau, et elle confia la petite à Virgile pendant son absence. Il existait deux accès pour entrer dans Monestier : le poste de la route nationale et celui du pont sur la rivière. Elle partit par la route, comme à son habitude, ignorant le pont qui était plus près, mais qui lui rappelait trop les activités clandestines de Virgile.

Elle franchit sans problème les postes français et allemand grâce à ses papiers de frontalière, couvrit les trois cents mètres en direction de la place sans rencontrer d'autres uniformes, retrouva avec plaisir les boutiques autour de l'église, même si elles lui apparurent moins bien achalandées qu'avant la guerre. Dans la première, elle acheta des guirlandes, un paquet de coton et des bougies, dans la seconde elle demanda à voir les poupées et les landaus.

– Vous avez donc une petite fille chez vous ? lui demanda la marchande qui la connaissait bien.

Victoria se troubla, répondit :

– J'attends l'une de mes sœurs qui a une fille, en effet.

– Quel âge a-t-elle ?

– Dix ans.

Pendant que Victoria choisissait, la patronne ne cessa de lui poser des questions, comme si elle la suspectait, au point que Victoria se demanda si elle ne renseignait pas les gendarmes. Elle sortit du magasin avec une sensation de malaise et sans le landau qu'elle avait projeté d'acheter. Elle fit ensuite quelques courses pour son ménage, acheta des friandises sans réussir à oublier cette désagréable impression qui la poursuivait maintenant dans la grand-rue, et qui ne fit que croître quand les Allemands exigèrent de vérifier ses paquets.

– *Ach, so!* Petite fille chez vous ! constata le préposé allemand.

Et, comme Victoria ne répondait pas :

– Son nom ?

Elle faillit répondre « Sarah », buta sur le mot, murmura :

– Anne.

– Et quel âge a cette enfant ?

– Dix ans.

Au poste français, en revanche, le gendarme de service ne lui posa pas de questions, mais elle n'aima pas du tout le regard qu'il lui lança, si bien qu'elle se hâta de rentrer à la Sauvénie en se jurant de ne plus remettre les pieds à Monestier. Et cette sensation de menace perdura jusqu'au soir de Noël, où enfin elle se dissipa devant l'arbre et les cadeaux déposés tout autour.

Virgile avait taillé dans du bois de peuplier deux sabots clairs ornés d'une languette de cuir sur le dessus. Ils firent plus d'effet à Sarah que la poupée, les papillotes et les pralines découvertes dans les paquets, d'autant qu'eux aussi étaient garnis de bonbons et de crottes en chocolat. Devant la joie de la petite, Victoria et Virgile étaient heureux, tout simplement. Et quel ne fut pas leur plaisir de la voir s'essayer à marcher avec les sabots de long en large dans la cuisine, les faisant claquer sur le parquet, à l'exemple de Victoria, qui s'écria, ravie :

– Une vraie paysanne, comme moi !

De fait, depuis que Sarah se trouvait à la Sauvénie, Victoria avait peu à peu tricoté et acheté des vêtements qui lui donnaient l'apparence d'une enfant de la campagne et non plus de la ville. Ainsi, au fil des jours, Sarah était devenue semblable à toutes les petites filles de la vallée, à la grande satisfaction de Victoria qui considérait cette transformation comme un gage de sécurité supplémentaire.

Ils firent un repas pantagruélique de bouchées à la reine, cèpes et pommes sarladaises, pâtisseries, salade de fruits, puis ils jouèrent à la belote, Virgile ayant appris à la petite les rudiments de ce jeu au cours des longues soirées de décembre. Après quoi, il fallut songer à aller se coucher. Il était plus de deux heures du matin quand Sarah consentit à monter dans sa chambre, ses sabots aux pieds. Une fois en haut, elle les posa sur la commode, bien en évidence, afin de les apercevoir depuis son lit. Victoria se pencha sur elle pour l'embrasser et sentit aussitôt deux bras se refermer autour de son cou.

– Je ne te quitterai jamais, murmura la petite.

Victoria ne répondit pas. Elle se redressa doucement, revint vers la porte, éteignit rapidement la lumière et demeura un long moment immobile sur le palier en s'essuyant les yeux.

Le lendemain, jour de Noël, le Dr Dujaric vint leur rendre visite au milieu de l'après-midi. Il accepta comme à son habitude le cordial que Virgile lui proposa et feignit de s'émerveiller devant les sabots et la poupée que lui montra Sarah, puis il confia à Virgile et à Victoria que les candidats étaient sans cesse plus nombreux à vouloir passer en zone libre. Ils discutèrent du sujet longuement, car ce secteur de la ligne de démarcation était de plus en plus surveillé, oubliant la petite qui ne perdait pas une miette de la conversation et lança, au moment où le silence, enfin, s'installait :

– Alors, mes parents vont passer aussi et venir me chercher ?

Victoria sursauta, pâlit :

– Tu es si pressée que ça de nous quitter ? demanda-t-elle.

Sarah baissa la tête, ne répondit pas et le silence s'éternisa. Tout le bonheur accumulé depuis une dizaine de jours dans la maison si joliment décorée pour Noël venait de s'envoler.

Peu après, le lendemain d'un passage au cours duquel Virgile avait conduit à Reillac deux aviateurs anglais dont l'appareil avait été abattu en zone occupée, deux gendarmes français surgirent vers midi à la Sauvénie, alors qu'on s'apprêtait à déjeuner. Virgile, qui venait juste d'arriver de l'atelier, les fit entrer mais ne leur proposa pas de s'asseoir, car il avait reconnu dans le plus petit l'un de ceux qui l'avaient arrêté au bord de la rivière. Victoria se tenait immobile, un torchon à la main, à l'entrée de la souillarde, soulagée que Sarah se trouvât en haut, dans sa chambre, où elle venait de monter.

C'est alors que ses yeux se portèrent sur les trois couverts disposés sur la table au même moment où le brigadier, que ses pantalons bouffants sur des bottes étroites rendaient un peu ridicule, les découvrait.

– Vous vivez à combien, ici ? demanda-t-il, soupçonnant sans doute la présence d'un clandestin.

Les regards de Virgile et de Victoria se croisèrent, trahissant leur affolement, mais Victoria retrouva assez de présence d'esprit pour répondre, avant que des pas se fassent entendre à l'étage :

– Nous sommes trois. La fille de ma sœur est venue nous voir pour les vacances de Noël.

À cet instant, Sarah apparut au milieu des marches et, découvrant les hommes en uniforme, voulut faire demi-tour.

– Descends ! N'aie pas peur ! dit Victoria en se déplaçant rapidement vers l'escalier.

Et, comme la petite hésitait, elle monta quelques marches et lui prit la main.

– Assieds-toi ! dit-elle encore, on va bientôt manger.

Sarah était animée d'un tremblement irrépressible que ne pouvaient pas ne pas deviner les gendarmes.

– Comment s'appelle cette petite ? demanda le brigadier.

– Anne, répondit précipitamment Victoria.

– Vous ne pouvez pas la laisser répondre ? Elle n'a pas de langue ?

Sarah releva la tête, et dit doucement :

– Je m'appelle Anne.

En six mois, elle avait perdu l'essentiel de son accent, et le fait d'avoir parlé tout bas avait gommé le peu qu'il en restait.

– Où habite-t-elle, en dehors des vacances? demanda le brigadier.

– À Labarrère.

– C'est en zone occupée, ça. Vous avez des papiers ?

Victoria fit signe à Virgile d'ouvrir le tiroir du buffet qui se trouvait derrière lui. Il tendit les documents au gendarme qui les examina un long moment puis les rendit en disant :

– Elle repart donc à la fin des vacances, c'est-à-dire dans trois jours, si je ne me trompe pas ?

– Elle va rester un peu plus, dit Victoria, car sa mère – ma sœur – est malade.

Le brigadier garda un instant le silence, comme s'il soupesait les mots prononcés par Victoria, puis il demanda :

– De quoi souffre-t-elle, votre sœur ?

– De la tuberculose.

Il y eut encore un long moment de silence durant lequel le regard des deux gendarmes demeura fixé avec insistance sur la petite, puis le brigadier reprit brusquement en se tournant vers Virgile :

– Vous avez une barque, n'est-ce pas ?
– Oui, j'ai une barque, répondit Virgile après une hésitation.
– Où se trouve-t-elle ?
– Derrière mon atelier.
– Vous êtes menuisier, si je me souviens bien ?
– Oui.
– Et vous vous servez de votre barque en cette saison ?
– Quelquefois. Pour pêcher la perche et le brochet.
– En hiver ?
– Oui, c'est la bonne saison pour le carnassier.
Le brigadier se redressa, reprit d'un ton qu'il voulait spirituel :
– Et vous n'attrapez jamais autre chose que des brochets ?
– Des truites parfois, mais il y en a peu.
Victoria se détendait car elle venait de comprendre que les gendarmes n'étaient pas là pour Sarah, mais pour ce qui se passait la nuit sur la rivière. Or, à ce sujet, elle pensait que Virgile était capable de se défendre.
– Je ne pêche pas la nuit, dit-il. Je sais que c'est interdit.
Soupçonnant qu'on se moquait de lui, le brigadier roulait des yeux furibonds.
– Eh bien, vous ne pourrez plus pêcher ni la nuit ni le jour, parce que votre barque, je vais la réquisitionner.

– J'en ai besoin ! s'indigna Virgile.

– Vous êtes menuisier ou pêcheur ?

– Les deux.

Le brigadier réfléchit en silence, puis reprit d'une voix où l'on percevait une menace précise :

– N'en faites pas trop, monsieur Laborie, sinon vous allez vous mettre dans un mauvais cas.

– On ne peut plus pêcher ! fit Victoria, volant au secours de son mari. Et depuis quand ?

– Taisez-vous ! cria le brigadier. Vous savez très bien que ce n'est pas de pêche qu'il est question ! Vous vous trouvez assez près de la rivière pour savoir ce qui s'y passe la nuit. Félicitez-vous que je réquisitionne votre barque au lieu de vous arrêter. Vous la descendrez au pont cet après-midi à quatre heures précises. Est-ce que vous m'avez bien compris ?

– C'est pas la peine de crier comme ça ! fit Victoria. On n'est pas sourds. On a entendu.

Elle n'avait plus qu'une idée en tête : que ces hommes s'en aillent, que le danger s'éloigne de l'enfant qu'on lui avait confiée.

– Vous me la rendrez dans combien de temps ? demanda imprudemment Virgile.

– Pour le moment, il n'est pas question de vous la rendre mais de vous la prendre ! Vous m'avez compris ?

Il porta la main à son képi, fit un signe à son collègue qui était demeuré muet pendant toute la conversation, mais dont le regard avait fureté partout à l'intérieur de la pièce, puis ils sortirent sans refermer la porte derrière eux. Le silence retomba brusquement, puis Victoria s'approcha de Sarah, s'assit à côté d'elle, la prit par les épaules en disant :

– N'aie pas peur, c'est fini.

La petite, qui tremblait encore, se laissa aller contre Victoria qui lui caressa les cheveux et dit à Virgile :

– Va chercher la soupière. On va manger, ça nous fera du bien.

Il se leva, revint avec le récipient qui fumait et sentait bon la soupe de pain, puis il servit Sarah, Victoria, et lui-même en dernier. Après avoir avalé une première cuillerée, il murmura :

– Le Dr Dujaric ne va pas être content.

Victoria, qui réfléchissait en silence, répondit :

– C'est peut-être mieux comme ça. C'était devenu vraiment trop dangereux.

En fait, elle était rassurée que la présence de Sarah à la Sauvénie fût connue et, en quelque sorte, légitimée par le contrôle de ses papiers. Pour le reste, elle avait tellement peur les nuits où Virgile passait les clandestins qu'elle était en fin de compte soulagée qu'on leur prenne la barque. Le médecin comprendrait. C'est ce qu'elle expliqua à Virgile, qui, lui, avait du mal à se séparer de cette embarcation qu'il avait construite lui-même en bois de saule et qui, depuis vingt ans, l'accompagnait dans ses heures de liberté sur la rivière.

– J'en construirai une autre, dit-il.

– Oui, c'est ça. En attendant, tu l'emmèneras pour l'heure convenue. Nous n'avons pas besoin de recevoir une nouvelle fois des uniformes dans cette maison.

Ils finirent leur repas dans un silence seulement entrecoupé par quelques mots rassurants de Victoria à l'adresse de Sarah, puis Virgile, après avoir bu son café, partit pour l'atelier où le travail l'attendait. Là, cependant, il n'eut pas le courage de se saisir du moindre outil : qu'on lui confisque ainsi sa barque le révoltait. Il imagina tous les stratagèmes possibles pour la soustraire à la réquisition, mais il aboutit chaque fois à la même conclusion que Victoria : il fallait éviter de revoir les gendarmes à la Sauvénie.

Il finit par se résigner et descendit la barque vers le pont un peu avant l'heure convenue, profitant une dernière fois du plaisir qu'il avait toujours ressenti à glisser sur l'eau familière. Il la remit aux deux gendarmes français qui se trouvaient là, assistés par deux soldats allemands. Il comprit alors que les Français n'avaient fait qu'obéir aux occupants, et sa résignation se transforma en colère. Il revint à pas pressés vers la Sauvénie, ruminant des idées de vengeance, bien décidé à reprendre le combat engagé auprès du Dr Dujaric, dont il appela de ses vœux une visite rapide.

Le médecin se fit attendre deux jours, car la surveillance s'était resserrée autour de Monestier depuis les nombreux passages de décembre. Heureusement, personne ne songeait à remettre en cause ses allées et venues pour soigner les habitants des fermes situées de part et d'autre de la ligne de démarcation. Il ne possédait pas une carte ordinaire de frontalier, mais un véritable laissez-passer qui était renouvelé tous les mois – et, jusqu'à ce jour, sans la moindre difficulté.

Naturellement, il était au courant de la réquisition des barques exigée par les Allemands, mais il n'en parut pas trop affecté. Au contraire, il abonda dans le sens de Victoria :

– C'était devenu vraiment trop dangereux. Il était urgent de changer de méthode.

Selon lui, ce n'était pas très compliqué : il expliqua à Virgile et à Victoria que la ligne de démarcation était perpendiculaire à la rivière et à la vallée qui étaient orientées plein ouest, et la ligne, donc, à peu près nord-sud. Son raisonnement était simple : si on ne pouvait plus passer par la rivière, on passerait par la forêt.

– Il y a trop de monde, ici, à Monestier, conclut-il. On est déjà en train de repérer un chemin à quelques kilomètres au sud – disons, en gros : entre Villefranche et Saint-Rémy. Ça représente une dizaine de kilomètres dans les bois. On passera la ligne au point le plus haut, vers Brugère. De chez vous, pour aller au contact, cela fait cinq ou six kilomètres. Est-ce que vous pouvez continuer à m'aider ?

Il ajouta, comme Virgile et Victoria s'interrogeaient du regard :

– Il n'y a pas grand risque à franchir la nationale en rase campagne entre Monestier et Saint-Martial. Ensuite, il y a une départementale dans la forêt qui oblique vers l'ouest et qui est peu fréquentée, et puis il suffit de prendre les sentiers.

– Pour quelle destination ? demanda Virgile.

– Périgueux bien sûr, mais pour vous, ça s'arrêterait entre Brugère et Saint-Rémy. Vous n'auriez pas besoin d'aller plus loin.

Il se tut, dévisagea Virgile et Victoria. La carrure et la force qui se dégageaient de cet homme n'étaient pas ordinaires. Ses yeux clairs sous des cheveux bruns impressionnaient quiconque osait les fixer.

– Je veux continuer, dit Virgile. Ce n'est pas parce qu'ils m'ont pris ma barque que je vais arrêter, au contraire.

Victoria comprit que ce n'était pas une raison suffisante pour le Dr Dujaric, qui s'attendait à plus de conviction.

– Il doit y en avoir, des enfants en danger comme notre petite, soupira-t-elle.

– Oui, beaucoup, approuva le médecin.

Et, jetant un regard autour de lui :

– À propos, où est-elle ?

– Elle joue dans sa chambre.

– Ça tombe bien parce qu'il faut que je vous confie quelque chose d'important.

Victoria qui, comme à son habitude, se tenait debout à l'entrée de la souillarde, sentit ses jambes fléchir. Elle s'approcha de la table où se trouvaient assis face à face Virgile et le médecin, et elle prit place elle aussi. Mais Dujaric hésitait, à présent, comme si ce qu'il avait à leur annoncer était d'une extrême gravité.

– Il faut bien que je vous le dise, murmura-t-il : ses parents ont trouvé un refuge dans la banlieue de Périgueux. Ils vont certainement passer la ligne d'ici huit jours.

Virgile tourna la tête vers Victoria qui avait pâli.

– Je sais que ce sera dur pour vous, mais une femme va venir la chercher.

Ses hôtes avaient pris un air tellement accablé que le médecin ne put poursuivre. Quand Victoria soutint son regard comme dans un reproche, il baissa la tête, lui qui était pourtant habitué à annoncer la maladie ou la mort. Mais ce qui le frappait le plus, maintenant, chez ses hôtes, c'était leur silence, un silence digne mais atterré.

– Je suis désolé, dit-il.

Et, un ton plus bas :

– Je vous laisse le soin de le lui annoncer vous-mêmes.

Puis, avec un geste las de la main droite :

– Ou alors je peux le faire moi-même. Ça ne me dérange pas. C'est comme vous voulez.

Le silence se prolongeait, seulement souligné par le tic-tac de l'horloge.

– Je vous promets de vous en confier d'autres, reprit-il. J'aurai toujours besoin de gens comme vous, qui vivent un peu à l'écart. Nous allons avoir de plus en plus d'enfants séparés de leurs parents, car les arrestations se multiplient, je vous l'ai déjà dit.

Le regard que lui lança Victoria l'arrêta. Il comprit qu'il n'y avait aucune consolation possible pour eux s'ils perdaient Sarah. Virgile regardait ses mains ouvertes devant lui, qui tremblaient un peu. Victoria s'était reprise mais ne trouvait toujours pas la force de parler.

– Je ne vous ai rien caché depuis le premier jour, reprit le médecin. Je vous ai toujours dit qu'elle ne resterait pas.

– C'est vrai, dit Virgile, rompant enfin le silence, et cherchant à rappeler cette évidence à Victoria, qui, elle, en cet instant, n'était pas capable de l'entendre.

– À dix ans, on a besoin de sa mère, poursuivit le médecin.

Victoria eut un recul du buste, comme si on l'avait frappée.

– Excusez-moi, fit-il aussitôt. Je sais que vous avez été sa mère pendant six mois.

À ces mots, Victoria parut s'éveiller d'un mauvais songe et murmura :

– Promettez-moi une chose : si un jour elle est de nouveau séparée de ses parents, il faudra me la rendre.

Le médecin réfléchit un moment, répondit :

– Je vous le promets.

Victoria se leva, se dirigea vers la souillarde où elle se mit à fourrager dans ses casseroles, tandis que Virgile et le médecin, désemparés, se dévisageaient sans trouver rien à ajouter. Une ou deux minutes passèrent ainsi, puis le médecin se dressa brusquement.

– Il faut que je m'en aille. On m'attend.

Il serra la main de Virgile, se tourna vers Victoria qui demeura penchée sur ses casseroles, comme si elle avait décidé de lui tourner le dos, puis il se dirigea vers la porte et s'arrêta sur le seuil.

– Au revoir, Victoria, dit-il. À bientôt.

– À bientôt ! répondit-elle, mais elle se refusa à jeter le moindre regard derrière elle.

Pendant les vingt-quatre heures qui suivirent, ni Virgile ni Victoria ne trouvèrent la force d'annoncer la nouvelle à Sarah. Puis, torturée par le remords, Victoria s'y résigna un matin, en allant la réveiller. Elle s'assit sur le bord du lit et annonça d'une voix qu'elle voulut enjouée :

– Tes parents vont passer en zone libre.

– Quand ?

– Dans quelques jours.

– Combien ?

– Une semaine, pas plus.

L'enfant poussa un cri et se jeta au cou de Victoria qui faillit basculer en arrière.

– Que je suis contente ! répétait-elle, les bras noués autour de celle dont elle ne voyait pas le visage défait et sur lequel, pourtant, un pauvre sourire s'esquissait.

Victoria cherchait les forces nécessaires pour affronter cette joie qu'elle avait appréhendée, et qui se manifestait exactement comme elle l'avait imaginée.

– Qui te l'a dit ? demanda l'enfant, les yeux illuminés, en se détachant du corps noué de Victoria.

– Le Dr Dujaric.

– Alors c'est sûr ! C'est bien sûr ? Ils vont venir ici ?

– Non ! Quelqu'un viendra te chercher pour te conduire auprès d'eux.

– Mais où donc ?

– À Périgueux.

– C'est une ville ? Un village ?

– Une ville.

– Comme Bordeaux ?

– Plus petite.

– Comme je suis heureuse ! répéta Sarah, serrant maintenant les mains de Victoria.

Et, soudain prise d'un doute :

– Toi aussi ?

– Oui, fit Victoria, moi aussi.

– Merci ! merci !

Comment faire pour ne pas se trahir ? Victoria feignit de se réjouir autant que la petite, mais, malgré ses efforts, l'émotion la submergeait. Pour ne pas assombrir celle de Sarah, elle se redressa brusquement en disant :

– Lève-toi vite ! On a du travail toutes les deux.

Et elle redescendit pour préparer le déjeuner, soulagée d'avoir trouvé la force de parler.

À partir de ce matin-là, il lui sembla que les heures passaient trop vite malgré ses efforts pour les retenir et s'imprégner de cette présence dont elle allait être privée. Virgile, quant à lui, avait perdu la parole. Quand ils étaient assis à table, ses yeux demeuraient fixés sur la petite qui ne mesurait pas vraiment ce qu'enduraient cet homme et cette femme auxquels elle s'était attachée, mais qui, pour elle, ne pouvaient être comparés avec ceux dont l'absence la faisait souffrir. Et pas seulement l'absence, mais la peur de les perdre, de ne jamais les revoir.

Victoria et Virgile prolongeaient les heures jusque tard dans la nuit, évitaient de penser à la séparation qui approchait, et contre laquelle ils ne pouvaient rien. Ce déchirement qu'ils redoutaient, ils finirent par l'appeler de leurs vœux, car c'était trop de chagrin, vraiment, que de voir se réjouir Sarah, exiger qu'ils participent à sa joie, la partagent à chaque heure de chaque jour.

La petite prépara sa valise dès le soir où le médecin revint leur annoncer la venue d'une femme prénommée Fanny pour le surlendemain en fin de matinée. Il la décrivit rapidement, leur dit qu'elle conduirait une Trèfle noire, et qu'elle repartirait aussitôt.

– Vous pouvez lui faire une totale confiance. Elle s'occupe de l'Aide sociale israélite.

Il n'en dit pas plus, mais Virgile et Victoria comprirent que le médecin savait ce qu'il faisait, qu'il était en liaison avec des gens très organisés et, d'une certaine manière, ils en furent rassurés pour Sarah.

La dernière journée fut une torture pour le couple qui ne quitta pas l'enfant une seule seconde. La soirée fut perturbée par son impatience à laquelle il leur fut impossible de ne pas feindre de s'associer. Puis Sarah voulut se coucher de bonne heure afin que « le matin arrive plus vite », et Victoria ne s'attarda pas dans la chambre où, d'ordinaire, elle passait un quart d'heure avant de redescendre.

Le lendemain, dès huit heures, la valise se trouvait devant la porte, et l'enfant derrière la fenêtre.

– Viens t'asseoir, lui dit Victoria à plusieurs reprises. On entendra la voiture.

Il fallut pourtant sortir malgré le froid, guetter la route, rentrer de nouveau. Virgile n'était pas allé à son travail. Il attendait lui aussi, accablé mais souriant, écoutant Victoria prodiguer des recommandations de prudence aussi vaines que douloureuses à exprimer. Enfin, une voiture noire s'arrêta dans la cour, bien avant l'heure convenue. Une femme blonde, la trentaine, les cheveux bouclés, se dirigea vers la porte qu'ouvrit Sarah avant de se précipiter vers elle. La petite prit la main de la visiteuse, qui caressa ses cheveux puis marcha vers Victoria qui se tenait sur le seuil.

– Entrez, dit-elle, je vous en prie.

La jeune femme devina une fêlure dans cette voix et elle accepta de pénétrer dans la maison où elle serra la main de Virgile, tandis que l'enfant demandait :

– Où sont-ils ? Comment vont-ils ?

– Ils vont bien, répondit la visiteuse d'une voix à l'accent étrange, dont Virgile et Victoria ne pouvaient savoir qu'il était alsacien.

– Quand est-ce que je vais les voir ?

– Dès cet après-midi. Il ne faut pas longtemps pour se rendre à Périgueux.

– Alors, on s'en va tout de suite !

Le jeune femme remarqua l'ombre de tristesse qui passait sur le visage de ses hôtes et dit :

– As-tu au moins remercié M. et Mme Laborie ?

– Oui, dit Victoria. C'est une bonne petite.

La visiteuse sourit, attira sur la table le sac à main qu'elle avait posé près d'elle sur le banc, puis elle murmura :

– Moi aussi, je vous remercie très sincèrement. M. Dujaric m'a expliqué tout ce que vous avez fait pour Sarah. Ses parents et moi-même nous vous en sommes très reconnaissants.

Puis elle ouvrit son sac et sortit des billets de banque en ajoutant :

– Je vais vous payer ce qu'on vous doit.

– Ah ! vous aussi ! s'écria Victoria. J'ai déjà dit à sa mère qu'on ne voulait pas d'argent.

– Mais c'est normal, madame, notre organisation a les moyens de faire face à ces dépenses.

– Peut-être, mais pas pour nous. Nous avons été largement payés par la présence de la petite.

– Vous l'avez nourrie, blanchie et logée.

– Et même davantage, dit Victoria.

Et, un ton plus bas, envahie par l'émotion à laquelle elle s'était pourtant promis de ne pas succomber :

– Elle nous a apporté ce qui nous manquait depuis trop longtemps.

La visiteuse demanda doucement :

– Vous êtes bien sûrs de ne pas vouloir être payés ?

– Tout à fait sûrs. On n'est pas dans le besoin. On a tout ce qu'il faut pour vivre.

Malgré elle, les yeux de Fanny firent le tour de la cuisine, et une ombre d'incrédulité passa dans son regard.

– Allez ! On s'en va, fit Sarah, posant une main sur le bras de la jeune femme.

– Oui, on va s'en aller, dit celle-ci.

Mais elle ne bougeait pas, observant toujours ses hôtes avec une sorte de stupeur bouleversée.

– Si vous le permettez, je reviendrai vous voir, dit-elle.

– Quand vous voulez, fit Victoria. Ce sera avec plaisir. Comme ça, vous nous ramènerez la petite.

– Je ne sais pas si ce sera possible, dit la visiteuse, mais je vous promets d'essayer.

Elle se leva, s'approcha de la porte près de laquelle se trouvait déjà Sarah, serra les mains de Victoria, puis celles de Virgile :

– Je ne vous oublierai pas.

Après quoi, se tournant vers Sarah :

– Dis merci et au revoir !

Ce fut vite fait. L'enfant était trop pressée pour s'attarder et elle s'écarta vivement de Victoria qui voulait la retenir un instant contre elle. Puis elle courut vers la voiture, grimpa dedans, au contraire de la visiteuse qui regarda un long moment Virgile et Victoria avant de monter. Après quoi, elle démarra, et ils aperçurent à peine la main qui s'agitait derrière la vitre.

Ils demeurèrent debout un long moment, puis ils rentrèrent lentement, et, une fois à l'intérieur, s'assirent face à face, incapables de prononcer le moindre mot, guettant à l'étage une voix dont ils savaient pourtant qu'ils ne l'entendraient plus.

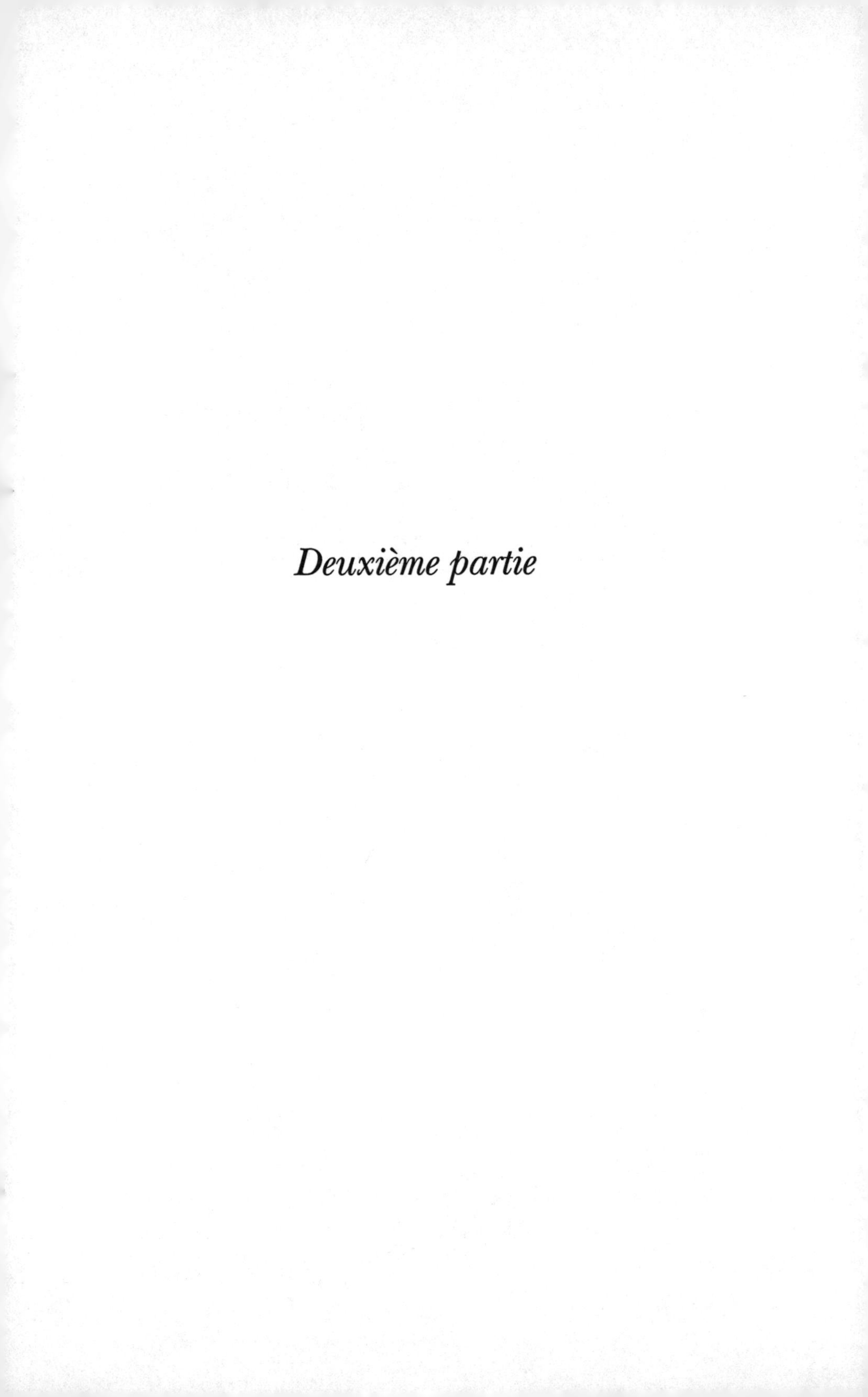

Deuxième partie

5

L'HIVER s'en était allé vers d'autres horizons et un printemps précoce lui avait succédé, faisant reverdir les prés et les champs dès le début d'avril. Les semaines et les mois de cette année 1942 avaient été douloureux pour Virgile et Victoria obsédés par l'absence de celle qui les avait quittés, sans doute pour toujours. Ils n'avaient pas la force d'en parler. Ils luttaient comme ils le pouvaient, Virgile en construisant en secret une nouvelle barque, Victoria en mettant au point avec le Dr Dujaric les passages par la forêt, auxquels elle tenait à participer.

C'était là leur manière de combattre auprès de celle qu'ils n'oubliaient pas, de lui demeurer fidèle, de l'aider, peut-être, malgré la distance qui les séparait. Le Dr Dujaric leur avait donné des nouvelles de Sarah à deux reprises, mais il leur avait recommandé, par sécurité, de ne pas lui écrire. Virgile avait réparé une bicyclette qui datait des années trente et le docteur leur en avait procuré une seconde, afin qu'ils puissent se déplacer plus facilement la nuit, pour la bonne exécution des missions qui devaient impérativement s'achever avant le lever du jour. Ils en avaient mené à bien trois au cours du printemps, s'étaient interrompus en juin pour aider Henri à faire les foins aussi bien dans ses prés que dans celui qu'ils possédaient.

Lors du premier passage, au printemps, ils avaient rencontré quelques difficultés pour s'orienter, trouver l'endroit exact où les attendaient le guide et ses passagers venus de la zone occupée, mais ce n'était plus le cas aujourd'hui. Le contact s'effectuait au milieu d'une clairière située à cent mètres du point culminant. Ils ressentaient toujours un peu d'appréhension en approchant du lieu de rencontre, et chaque fois Victoria pensait à la question que lui avait posée un jour le docteur :

– Pourquoi faites-vous ça ? Vous avez suffisamment pris de risques depuis des mois.

– Et vous ? avait-elle répondu.

– Aider les gens, c'est aussi une manière de les soigner. Et les soigner, c'est mon métier.

– Je sais pas si vous pouvez comprendre, avait dit Victoria, mais nous, ce qu'on veut, c'est soigner les enfants qu'on n'a pas eus et qu'on n'aura jamais.

Comme pris en faute, le docteur avait eu du mal à affronter le regard noir fixé sur lui, mais il avait tout de même pu répondre :

– Bien sûr que je comprends. Excusez-moi, Victoria.

Ils n'en avaient plus jamais reparlé. C'était maintenant chose acquise. Chaque fois qu'il devait organiser un passage, le docteur faisait appel à eux et ne posait plus de questions.

Lors du dernier voyage, pourtant, ils s'étaient heurtés à toutes sortes de difficultés, dont un va-et-vient de voitures inhabituel sur la route nationale. En arrivant le soir, Dujaric leur parut tendu en écoutant Victoria qui demandait :

– Qu'est-ce qu'ils faisaient sur la route, avec leurs voitures ?

Il leur sembla que le docteur blémissait en annonçant d'une voix chargée d'émotion :

– Ils ont posé des mines.

Et, comme Virgile et Victoria demeuraient muets de stupeur :

– Ils n'en ont pas beaucoup et ils ne peuvent pas en mettre partout, heureusement. Ne vous inquiétez pas, nous ne reprendrons pas les passages tant que nous n'aurons pas établi de façon certaine où ils les ont placées.

Et il ajouta, après un soupir :

– En fait, ce n'est pas pour cette raison que je suis venu.

Il parut hésiter, poursuivit :

– Il y a eu de grandes rafles, à Paris, ces temps derniers. Nous allons avoir de travail. D'ailleurs, Fanny a demandé à vous voir.

Victoria n'en fut pas réellement surprise, car la jeune femme avait dit qu'elle reviendrait.

– Il faut que je vous explique, reprit le docteur. Comme ça, vous saurez à quoi vous en tenir.

Il but une gorgée d'eau-de-vie, fit claquer sa langue de satisfaction, et reprit :

– Entre le 11 et le 21 novembre 1940, soixante mille Alsaciens francophones ont été expulsés par les Allemands. Le département de la Dordogne a été choisi comme lieu d'accueil pour la population de Strasbourg et celle de dix-neuf communes situées dans l'arrondissement d'Erstein et de Sélestat. La population israélite de Strasbourg comptait un peu moins de dix mille habitants. Ils se sont retrouvés en majorité à Périgueux et ils se sont organisés en créant l'ASI, c'est-à-dire l'Aide sociale israélite, qui n'œuvre pas uniquement en Dordogne mais dans tout le pays. Cette association distribue des secours en nature : vêtements, nourriture, médicaments, mais aussi en espèces. Ce n'est là, vous le comprenez bien, que sa façade officielle : en réalité, elle est encore plus active dans la clandestinité, car elle fait passer et trouve des familles d'accueil pour les réfugiés venus de la zone occupée. Fanny – la jeune femme qui est venue chercher Sarah – travaille pour cette association. Elle est entrée en contact avec moi au cours du printemps 40, par l'intermédiaire de mon épouse, Louise, que j'ai connue à Bordeaux pendant mes études, et qui est aussi juive. Elle s'est installée à Périgueux, en zone libre, parce qu'elle estime que c'est là-bas qu'elle est le plus utile. J'aurais pu la rejoindre, évidemment, mais elle m'a demandé de rester près de la ligne de démarcation pour organiser les passages.

Le docteur s'arrêta brusquement, comme s'il en avait trop dit.

– Et pourquoi vous nous racontez tout ça aujourd'hui ? demanda Victoria. On a confiance, vous savez ? D'ailleurs, vous nous avez dit qu'il valait mieux en savoir le moins possible.

– Oui, mais tout ça va devenir de plus en plus dangereux. Et puis vous nous avez déjà beaucoup aidés. La nuit dernière encore vous avez pris bien des risques.

Il se tut, soupira, puis il murmura :

– Vous avez le droit de vous arrêter.

– S'arrêter ! S'arrêter ! s'écria Victoria. Vous croyez que c'est facile, maintenant ? On ne cesse de penser à la petite.

– Si Fanny veut vous rencontrer, je crois que c'est pour vous demander de trouver de nouvelles familles d'accueil pour les enfants.

– Et nous ?

– Il y a beaucoup d'enfants séparés de leurs parents, Victoria.

– Justement. Pourquoi elle ne nous en donne pas un, à nous ?

– C'est probablement pour cela aussi qu'elle veut vous voir.

Les visages de Victoria et de Virgile s'éclairèrent brusquement.

– Elle peut venir quand elle veut, vous le savez bien.

– Disons après-demain. En fin de matinée.

– C'est entendu.

Après un instant, Dujaric ajouta :

– Nous craignons désormais des rafles même en zone libre.

– Si c'est pas malheureux ! soupira Virgile.

– Et Sarah, à Périgueux ? demanda Victoria.

– Elle risque autant que les autres.

– Alors, il faut nous la rendre.

– Vous verrez ça avec Fanny, dit Dujaric en consultant sa montre.

Il sursauta, et conclut, comme à son habitude :

– On m'attend. Je suis en retard.

Il sortit, se hâta jusqu'à son bolide qui rugit avant de l'emporter vers d'autres foyers.

Une fois seuls, Virgile et Victoria se regardèrent en souriant. Un espoir était né en eux : celui de revoir Sarah, mais ils n'osaient pas le formuler à voix haute, craignant d'être déçus.

– Mangeons ! dit Victoria. Il est grand temps.

Il était huit heures, alors que, d'ordinaire, ils soupaient à sept. Quand Victoria l'eut servi, Virgile demanda :

– Quand doit venir cette Fanny ?

– Après-demain.

Victoria devina qu'il espérait, lui aussi, qu'on allait leur rendre Sarah.

– C'est pas la peine de se mettre des idées en tête, dit-elle, avec une brusquerie agacée.

Il haussa les épaules, sourit, car il avait compris que c'était à elle-même qu'elle s'adressait, et non pas à lui.

Huit jours plus tard, contrairement à ce qu'ils avaient espéré, on ne leur avait confié aucun enfant. Fanny était venue comme elle l'avait annoncé et elle leur avait expliqué les difficultés auxquelles elle se heurtait : il y avait en Dordogne quatre cent quarante-deux enfants juifs. Quarante-trois avaient des parents internés, décédés, déportés ou absents. Les autres avaient encore un père ou une mère, mais on craignait pour eux et on cherchait à les placer dans des fermes éloignées de la ville. Elle avait donc demandé à Virgile et à Victoria si, en dehors d'eux-mêmes, ils ne connaissaient pas une famille susceptible d'accueillir un enfant. Victoria avait répondu qu'elle allait essayer d'en trouver une, mais que ce serait difficile, car ils vivaient tellement à l'écart qu'ils ne côtoyaient pas grand-monde. En revanche, elle avait rappelé à la jeune femme qu'ils pouvaient, eux, accueillir un enfant rapidement, et que si c'était possible, ils préféraient que ce fût Sarah car ils s'y étaient attachés. Fanny avait promis de faire de son mieux, elle les avait remerciés, puis elle était repartie et, depuis, n'avait donné aucune nouvelle.

En août, toute la vallée résonna du ronronnement de la batteuse à vapeur qu'on avait été obligé de remettre en activité à cause du manque de carburant. Une odeur de paille et de grain campa sur la plaine, légère comme de l'étoupe, mais aucun vent de nuit ne la dissipait. Virgile était allé aider aux moissons dans les trois fermes qu'il connaissait et où il avait ses habitudes, entre la Sauvénie et Reillac. Il avait mis à l'eau au début du mois la barque achevée en juillet et il l'avait coulée, la maintenant au fond avec quatre grosses pierres. C'était une manière de la dissimuler à des yeux indiscrets mais aussi de faire gonfler le bois, afin que la barque flotte sans la moindre fuite quand il faudrait s'en servir.

Le Dr Dujaric avait été heureux d'apprendre qu'on pouvait de nouveau utiliser la rivière, car les gendarmes ne s'en méfiaient plus.

– Est-ce qu'ils ne risquent pas de découvrir votre barque ? avait-il demandé à Virgile.

– Non. Je la laisse au fond de l'eau. Il suffira que j'aille la vider à la tombée de la nuit pour pouvoir l'utiliser à trois heures. Au retour, je la coulerai de nouveau et personne ne la trouvera.

– Les patrouilles ont cessé, avait dit le médecin. Maintenant, ils surveillent davantage les collines.

Victoria, fidèle à la promesse faite à Fanny, avait décidé de rendre visite aux habitants de la maison de Reillac qui accueillaient les passagers la nuit. Virgile lui avait expliqué que c'était la dernière bâtisse à droite à la sortie du village, sur la route qui grimpait vers les collines. Elle avait tenu à s'y rendre seule, afin de ne pas trop éveiller l'attention des villageois.

Elle y arriva en milieu d'après-midi, en sueur sous le soleil d'août, hésita à frapper tant la demeure lui parut imposante, avec une sorte de tour carrée et des fenêtres à meneaux qui lui donnaient l'aspect d'un castelet. De fait, quand elle eut frappé au moyen d'un heurtoir de cuivre à la belle porte de chêne mouluré, ce fut une servante en tablier blanc qui lui ouvrit et lui demanda ce qu'elle désirait.

– Je viens de la part de Victor.

La servante, une jeune femme forte, aux yeux noirs, qui devait être une fille de paysans, hésita un instant et répondit :

– Je vais voir.

Elle n'avait pas fait entrer Victoria, qui se demandait si elle ne s'était pas trompée d'adresse, d'autant que de longues minutes s'écoulèrent avant qu'on ne l'introduise dans une sorte de salon-bibliothèque, à gauche du couloir, où des fauteuils de reps vert encadraient un tapis qui lui parut magnifique. Elle attendit encore quelques minutes avant qu'une femme qui devait avoir la soixantaine, au chignon gris soigneusement maintenu par des peignes d'écaille, les yeux clairs, un chemisier auréolé d'un collier de perles, n'entre sans que le moindre bruit de pas ne l'ait annoncée.

– Bonjour madame, dit-elle à Victoria surprise et impressionnée par cette apparition. Je ne comprends pas le but de votre visite, car je ne connais pas de Victor.

Victoria, persuadée de s'être trompée, se troubla, et pourtant il n'y avait aucune agressivité dans le regard calme de cette femme qui demeurait debout devant elle, attendant une explication. Heureusement, Virgile lui avait rappelé les derniers mots de passe utilisés une semaine auparavant, et elle put les prononcer sans trop d'hésitation :

– « Ce sont de braves cœurs que les gens de la plaine. »

Le visage de la femme se détendit, et elle désigna à Victoria un fauteuil.

– Asseyez-vous. Je vous en prie.

Puis aussitôt après, de la même voix paisible :

– Il était convenu que je n'aurais de contacts que la nuit. Est-ce qu'il est au courant de votre visite ?

Victoria comprit qu'elle faisait allusion au Dr Dujaric et répondit :

– Oui. Je lui en ai parlé et il devait vous prévenir. Il n'a pas eu le temps, sans doute.

– Sans doute, répliqua la femme au collier. D'autant qu'il a été arrêté hier après-midi.

Victoria perdit pied, demanda :

– Arrêté ? Le Dr Dujaric ?

– Il n'est pas nécessaire de prononcer son nom. Mais je m'étonne que vous ne soyez pas au courant. Je pensais que vous veniez me donner de ses nouvelles.

– Non, dit Victoria. Non, je ne savais pas.

– Alors, que me voulez-vous ? demanda son hôtesse avec un peu d'impatience dans la voix.

Victoria hésita, se demandant si c'était bien le moment, après avoir appris l'arrestation du Dr Dujaric, de dévoiler le but de sa visite. Mais tout dans son interlocutrice donnait confiance : son regard clair, son port de tête droit, la rondeur aimable de son visage, et jusqu'à sa longue jupe grise si bien assortie à son collier de perles.

– Quelqu'un m'a demandé de chercher des familles d'accueil pour cacher des enfants, dit-elle. On m'a chargée d'en trouver une ou deux.

Puis elle repensa au Dr Dujaric et sa démarche lui parut tout à coup vaine et dangereuse. Son hôtesse s'en aperçut, et l'encouragea d'un sourire à poursuivre.

– C'est une dame de Périgueux.

– Je la connais, dit la femme au collier.

– Vous la connaissez ? fit Victoria, étonnée.

– Elle s'appelle Fanny.

Puis, comme Victoria demeurait interdite, incapable d'ajouter le moindre mot :

– Je ne peux pas prendre en charge un enfant parce que mon époux vit paralysé, là-haut dans sa chambre, et que je passe tout mon temps à m'occuper de lui, mais il y a une autre raison.

Elle attendit un instant et ajouta dans un murmure :

– Je m'appelle Weisemann. Hélène Weisemann, et je suis juive. Vous comprenez ?

– Excusez-moi, dit Victoria, je ne pouvais pas savoir.

Un long silence tomba, au grand désarroi de Victoria qui n'était pas habituée à vivre ce genre de situation, mais son hôtesse vint à son secours :

– Je vous remercie de vous soucier du sort de nos enfants, c'est tout à votre honneur. Mais il faut être prudente, n'est-ce pas, car même en zone libre nous ne sommes plus en sécurité.

Victoria se sentait fautive et confuse. Elle prononça les seuls mots qui lui parurent susceptibles de démontrer non seulement sa bonne foi, mais également sa solidarité :

– C'est Virgile, mon mari, qui vous amène les passagers la nuit.

– Je sais.

– Comment ça, vous savez ?

– Les gens qui nous aident dans les campagnes ne sont pas si nombreux. Victor m'a expliqué. Vous pensez bien que nous n'ouvrons pas à n'importe qui.

Son hôtesse la dévisageait maintenant avec gravité.

– Vous êtes courageuse.

– Mais non ! s'écria Victoria comme chaque fois qu'on lui faisait un compliment. Quand on peut aider, on aide, c'est tout.

Hélène Weisemann sourit, proposa une tasse de thé à Victoria qui, tout d'abord, refusa :

– Non, non, je ne veux pas vous déranger. Vous m'avez dit que vous étiez très occupée.

Hélène Weisemann sourit de nouveau :

– J'ai cinq minutes, tout de même. Et puis, un peu de compagnie me fera du bien et me changera les idées.

Elle appela sa servante qui disparut après avoir pris ses instructions et revint très vite avec une théière et deux tasses sur un plateau d'argent, qu'elle déposa sur une petite table marquetée. À peine si pendant ce laps de temps, Victoria eut le loisir de s'inquiéter de nouveau du sort du Dr Dujaric.

– Nous en saurons plus demain, fit son hôtesse, vous pensez bien que tout le monde a été alerté.

Chaque fois qu'elle nouait un contact avec le monde extérieur, Victoria avait l'impression d'être le maillon d'une sorte de chaîne mystérieuse alors qu'elle s'était crue seule avec Virgile et le Dr Dujaric dans un combat ignoré de tous. Et chaque fois elle se sentait plus forte, comme en sécurité, auprès de gens solidaires.

Cette sensation ne fit qu'augmenter au cours du quart d'heure qu'elle passa avec son hôtesse dont elle admira les gestes délicats dans sa manière de verser et de boire du thé. Elle-même n'en avait jamais bu, ne connaissait rien de ce breuvage qui lui parut plus fade que le café, mais qu'elle prétendit trouver bon.

Peu avant de partir, elle reçut une preuve de confiance supplémentaire quand Hélène Weisemann lui dit :

– Quand vous verrez Fanny, vous lui expliquerez que vous avez fait ma connaissance et pourquoi. Mais oubliez mon nom et mon prénom. Appelez-moi Ariane.

Puis, au moment d'ouvrir la porte, à l'extrémité du couloir aux carreaux noirs et blancs :

– Laissez-moi vous embrasser.

Pourquoi voulait-on toujours l'embrasser, comme Fanny, la première fois qu'elle l'avait vue ? Victoria ne pouvait pas savoir à quel point elle inspirait confiance, quelle force se dégageait d'elle, de ses mots si simples, si naïfs, parfois. Elle répondit avec naturel au bref contact de deux joues très douces, puis elle s'en alla.

Le parfum des cheveux de son hôtesse l'accompagna pendant tout le trajet de retour vers la Sauvénie. Elle avait découvert un monde dont elle ne soupçonnait pas l'existence, et elle en était comme ivre et inquiète à la fois, d'autant que cette découverte coïncidait avec une arrestation à laquelle son esprit revenait constamment. Il lui tardait, à présent, de pouvoir en parler à Virgile. C'était la seule manière de retrouver des repères sûrs, de savoir ce dont demain serait fait.

Elle n'eut pas le temps de lui raconter quoi que ce soit quand il arriva, à sept heures, car ce fut lui qui parla le premier. Le docteur était passé à son atelier pour le rassurer : il n'avait pas été arrêté mais simplement réquisitionné pour soigner en urgence un officier allemand qui souffrait d'une péritonite. En raison de l'état alarmant de l'officier, il avait dû le conduire lui-même à Périgueux, escorté par une voiture aux couleurs de la Gestapo, d'où le fait que le bruit avait couru, effectivement, qu'il avait été arrêté. Mais non : tout allait bien. Il avait confirmé à Virgile la venue de Fanny pour le lendemain, toujours en fin de matinée. Celle-ci lui avait fait passer un message à l'hôpital de Périgueux, mais elle n'avait pas précisé le but de sa visite.

Ils s'étaient interrogés à ce sujet, mais pas longtemps, car Victoria avait hâte de raconter à Virgile ce qui s'était passé à Reillac, sa rencontre avec cette femme extraordinaire qui semblait tout savoir et qui lui avait parlé avec une telle confiance. Quand elle eut terminé, Virgile lui expliqua qu'il ne l'avait jamais vue, car il n'était jamais entré dans cette belle maison dont il ne s'était approché que de nuit. Comme à Saint-Martial, il repartait dès que la porte s'ouvrait et que les passagers s'engouffraient à l'intérieur, conformément aux instructions données par le Dr Dujaric.

Ils dînèrent rapidement et allèrent se coucher tôt, Victoria étant rompue de fatigue et d'émotion. Elle eut pourtant du mal à trouver le sommeil, car la femme au collier de perles apparaissait sans cesse devant ses paupières closes. Elle se sentait moins seule, à présent : il y avait, à quelques kilomètres de chez elle, quelqu'un sur qui, désormais, elle pouvait compter.

Le lendemain, ils se levèrent de bonne heure, animés par un nouvel espoir qu'ils n'osaient pas se confier. Peut-être Fanny allait-elle leur annoncer le retour de Sarah ? Pour éviter de trop y penser, ils vaquèrent à leurs occupations, Victoria dans la basse-cour et l'étable, Virgile dans son atelier, mais il ne fit que l'aller et retour, car il était trop impatient.

Après quoi, ils se mirent à attendre sans parvenir à parler, assis sur le banc de pierre, à droite de la porte d'entrée. C'était l'une des plus chaudes journées du mois d'août. Des orages menaçaient depuis une semaine mais n'éclataient jamais. L'odeur de la paille et des grains campait toujours sur la vallée, sans que le moindre souffle de vent ne parvienne à la disperser. Victoria finit par évoquer une nouvelle fois son hôtesse de Reillac, ajoutant avec une pointe d'admiration dans la voix :

– Ce ne sont pas des gens d'ici, c'est sûr. Ils doivent venir de la ville, sans doute de Paris.

Et elle reprit, inquiète, soudain :

– Je me demande s'ils sont bien en sécurité à Reillac. Surtout qu'ils auraient du mal à se sauver, puisque l'homme est paralysé.

– Qu'est-ce que tu veux qu'il leur arrive ? Ils sont loin de tout, à la lisière de la forêt.

– Quand même, on ne sait jamais.

Elle n'eut pas le loisir de s'interroger davantage, car le moteur d'une voiture se fit entendre et bientôt s'approcha. Ils se levèrent d'un même élan, firent quelques pas dans la cour, ressentirent un coup au cœur dès que Fanny eut stoppé le véhicule, en apercevant une tête d'enfant à côté de la conductrice. Fanny descendit, fit le tour, ouvrit la portière et prit la main d'un enfant qui n'était pas Sarah, mais un garçon d'une dizaine d'années, qu'elle conduisit aussitôt vers eux.

– Il s'appelle Élie, dit-elle, et il a besoin de vous.

C'était un enfant maigre, aux cheveux noirs, aux yeux sans le moindre éclat de lumière, et dont le short laissait apparaître des genoux osseux. Il semblait porter en lui tout le malheur du monde, ce qui n'échappa pas à Victoria qui, d'instinct, se pencha vers lui pour l'embrasser. Il eut un mouvement de recul que contint doucement Fanny en disant :

– N'aie pas peur, tu ne risques rien ici.

Et, désirant lui montrer qu'il pouvait avoir confiance, elle embrassa Victoria et Virgile qui observaient l'enfant avec curiosité. Il ne ressemblait pas du tout à Sarah, qui était blonde, et dont le regard était plein de vie et d'espoir. Il paraissait si fragile qu'on avait peur, en le touchant, de le casser.

– Rentrons ! fit Victoria.

À cet instant, l'enfant fit brusquement un pas en avant et glissa sa main dans celle de Virgile qui n'en crut pas ses yeux. Ce fut comme si le petit s'en remettait à lui sans le connaître, et cette confiance totale, soudaine, le toucha profondément. Une fois dans la cuisine, Élie s'assit à côté de Virgile, prit son bras et se serra contre lui.

– Il vous a adopté, fit Fanny, à la fois surprise et émue.

Virgile, lui, ne bougeait plus, respirait à peine de peur d'effaroucher le petit. Victoria servit du café et des gâteaux secs en disant :

– Tu verras, on mange bien ici.

Un long silence s'établit, que dissipa Fanny en proposant :

– Si tu veux bien, Virgile va te faire voir les animaux. Tu sais, je t'ai dit qu'il y avait une vache, des lapins et des poules.

Élie hocha la tête en signe d'assentiment et sortit avec Virgile, lui reprenant la main avant de franchir la porte. Fanny expliqua alors à Victoria que l'enfant avait vu assassiner son père et sa mère, à Paris, depuis l'armoire où il était caché. Il en portait la blessure au point d'en avoir perdu la parole mais, contrairement à ce que l'on pouvait d'abord penser, c'était un enfant plein d'intelligence et de ressources. Elle donna aussi des nouvelles de Sarah qui allait bien et qui leur avait écrit une lettre. Elle tendit une enveloppe à Victoria en ajoutant :

– Elle a ses parents, elle, alors qu'Élie n'a plus rien, pas la moindre famille. Vous comprenez ? Il a besoin de vous, pas elle. En tout cas, pas pour le moment, et j'espère que ça n'arrivera jamais.

Victoria, dont la déception s'était atténuée devant la détresse et la fragilité du garçon, répondit :

– L'essentiel, c'est qu'elle aille bien. Pour le reste, ne vous inquiétez pas : on s'occupera de ce petit comme on s'est occupés d'elle.

– Je sais, dit Fanny. Je vous en remercie. Je suis sûre que grâce à vous la lumière brillera de nouveau un jour dans ses yeux.

– C'est vrai qu'il a un drôle de regard, le pauvre. On dirait que toute la neige de l'hiver y est enfermée.

Elle ajouta, pensive :

– Ça me fait froid dans le dos.

Puis, se reprenant brusquement, elle raconta à Fanny comment elle avait fait la connaissance de Mme Weisemann à Reillac, et pourquoi.

– Ils ont acheté cette maison à l'écart de tout un peu avant la guerre, car ils avaient pressenti ce qui allait se passer, expliqua Fanny. Dès la fin de 1940, ils ont fui Paris pour venir s'y cacher. M. Weisemann était pilote dans l'armée et il a été blessé dans un accident d'avion. Depuis, il est paralysé. Ils servent de relais pour les réfugiés en route vers Périgueux.

À cet instant, Virgile et Élie entrèrent, et le regard du garçon fit frissonner Victoria.

– Alors ! fit-elle, tu as vu Blondine ? On ira la traire le matin tous les deux.

– On a aussi donné du grain aux poules et de l'herbe aux lapins, dit Virgile. Il y en a un qui a voulu s'échapper, mais on l'a rattrapé.

Ils dévisagèrent l'enfant dont le visage restait de marbre et les yeux d'une extrême froideur.

– Tiens ! Mange un peu de cette tarte aux prunes ! fit Victoria en avançant un morceau de gâteau vers lui.

Il fit « non » de la tête et le repoussa de la main.

– Il faut manger ! s'exclama Victoria. Sinon tu pourras pas aider Virgile dans son atelier.

Mais elle ne put soutenir le regard qui s'était posé sur elle et semblait l'interroger.

– Oui, ajouta-t-elle, il est menuisier, Virgile. Il te l'a pas dit ?

– Je lui ai expliqué tout ce qu'il trouverait ici, intervint Fanny. Pas vrai, Élie ?

Le petit hocha la tête une nouvelle fois mais ne

répondit pas. Victoria se demanda soudain, devant l'ampleur de la tâche, si elle saurait faire face. Alors que rien ne pouvait la démonter, elle avait peur tout à coup de cet enfant qui avait connu l'horreur et semblait en être profondément ébranlé.

– Il faut que je m'en aille, décida Fanny.

Le garçon se leva d'un bond et se précipita vers elle, comme s'il voulait la retenir.

– Allons, dit-elle. Viens ! Je vais te donner ta valise.

Ils sortirent, Virgile et Victoria un peu en retrait. Au lieu d'attendre devant la voiture, le garçon se précipita à l'intérieur et referma la portière. Fanny prit la valise à l'arrière, rouvrit la porte et parlementa un moment, vainement, avec l'enfant. Elle se retourna vers Virgile et Victoria comme pour leur demander de l'aide.

– Va le chercher, dit Victoria à Virgile. Avec toi, il viendra.

Elle avait deviné qu'un lien s'était noué entre le petit et son mari, et non pas avec elle. Effectivement, quand Virgile s'approcha, elle n'entendit pas ce qu'il disait mais, dès qu'il tendit la main, le garçon la prit et accepta de le suivre. Une fois qu'ils eurent fait quelques pas en direction de la maison, Fanny démarra rapidement et la voiture disparut bientôt au tournant de la route. Ils demeurèrent un moment immobile tous les trois, Victoria ayant saisi la valise, et le petit tenant toujours la main de Virgile.

– Emmène-le à l'atelier le temps que je prépare à manger, dit-elle. Ça lui changera les idées.

Et elle ajouta, avec un geste de dépit :

– Je ne crois pas qu'il resterait avec moi.

Elle les observa en hochant la tête tandis qu'ils s'éloignaient, puis elle rentra en se demandant une nouvelle fois si elle allait être capable d'apprivoiser cet enfant si fragile et si inquiétant.

6

Les premiers jours furent très difficiles à vivre, à la fois pour eux et pour Élie qui mangeait à peine et refusait toujours de parler. Même à Virgile, qui ne comprenait pas mais qui respectait ce silence, y compris lorsqu'ils se retrouvaient seuls dans l'atelier, et que le petit l'observait, s'approchant, puis s'éloignant vers un tas de bois sur lequel il semblait avoir trouvé un refuge sûr. Là, assis, les mains posées sagement sur ses genoux, il observait Virgile qui rabotait ou clouait une planche, levant de temps en temps la tête vers le petit, dont il croisait les yeux sans vie. Virgile, alors, cherchait des mots susceptibles d'être entendus par Élie, mais il avait beau faire, il n'en trouvait pas. Il se sentait impuissant à ébranler ce mur dressé entre l'enfant et lui, s'en désolait, se troublait, et il lui tardait de retrouver la présence de Victoria qui, elle, avait relevé le défi à sa manière.

Au lieu de demeurer silencieuse, elle parlait sans

cesse. De tout, de rien, de ses moindres faits et gestes, de n'importe quoi. Elle avait compris qu'Élie avait vécu l'horreur, mais elle se refusait à capituler face à la blessure qui l'avait dévasté. Et donc, pour elle, il n'y avait qu'une solution : utiliser tout ce qui était à sa disposition pour ramener le petit vers la vie, et d'abord la vie quotidienne, toute simple, rassurante, sans menaces.

– Regarde ! lui disait-elle. Pour la soupe, il faut couper le pain en tranches bien fines, comme ça. Ce n'est qu'après que je verse le bouillon dessus. Tu sais, le bouillon que j'ai fait avec les légumes que nous avons ramassés ce matin au potager.

En réalité, si le petit l'avait suivie au jardin, il avait fallu que ce fût en compagnie de Virgile qui était complètement déboussolé par son attitude. Aussi, le soir, quand ils se couchaient, laissant la porte de leur chambre ouverte, il demandait à Victoria :

– Pourquoi est-il comme ça ? Il est venu vers moi comme s'il me connaissait depuis toujours.

– Et de quoi tu te plains ? Tu ne vois pas que je peux pas l'approcher, moi ?

– Je ne sais pas quoi lui dire...

– Il a compris que tu étais un enfant comme lui, plaisantait-elle.

Virgile haussait les épaules, soupirait.

– C'est ça ! Fous-toi de moi !

– Que tant d'affaires ! s'exclamait-elle. Conduis-toi comme tu en as l'habitude et cesse de te poser toutes ces questions. Tu verras qu'il finira par s'habituer.

Pourtant, trois jours après l'arrivée du petit, un soir, Victoria entreprit de tuer un lapin pour le repas du lendemain. Dès qu'Élie vit le sang, il lâcha, horrifié, la main de Virgile, et s'enfuit à toutes jambes vers la rivière. Virgile se lança à sa poursuite et eut bien du mal à le rattraper, puis à le calmer. Le petit ne cessait de trembler, sans une larme, sans un mot, au point qu'il fut difficile de le ramener vers la maison où Victoria, inquiète, voulut s'approcher de lui pour le rassurer. Mais Élie poussa un tel cri qu'elle battit en retraite en répétant :

– Oh ! tout de même ! Tout de même ! Qu'est-ce qu'il a, ce petit, dans la tête ?

Au moment de se coucher, ce fut Virgile qui l'accompagna dans sa chambre. Victoria en fut mortifiée pendant quelques jours, mais son tempérament reprit le dessus et elle recommença à vivre comme avant l'incident, reprenant ses discours et ses démonstrations destinés à le réconcilier avec elle.

– Il t'a pas dit, Virgile, que ce serait bientôt la saison des champignons ? Ça m'étonne pas de lui : il veut tous les garder pour lui.

Et elle ajoutait, espérant une réponse :

– Tu les aimes, les champignons, toi ?

L'enfant ne répondait pas, mais elle ne se décourageait pas, continuait son monologue, feignait de s'en prendre à Virgile pour la moindre des choses, en laissant le soin au petit de comprendre qu'il s'agissait d'un jeu dans lequel elle l'invitait à entrer.

– Regarde-le, disait-elle à Élie, il fait des accrocs à toutes ses chemises. On dirait un bohémien. Tu crois que c'est normal, ça ?

Et, comme l'enfant ne répondait pas davantage :

– Je suis sûre que ce n'est pas toi qui accepterais de mettre une chemise trouée, pas vrai ? Dis-moi un peu pourquoi je me suis mariée avec un vagabond pareil !

Mais rien ne venait jamais éclairer le visage d'Élie, qui, au contraire, paraissait se fermer plus encore.

D'après les papiers remis par Fanny, il était censé s'appeler Élie Laverdet. On n'avait pas changé son prénom, car c'était un prénom répandu en Périgord, mais seulement son nom. Il était le neveu de commerçants de Bordeaux qui l'avaient confié à Fanny. Il n'y avait pas de danger qu'il se trahisse en prononçant son vrai nom de famille puisqu'il ne parlait pas. La seule chose qui pouvait le dénoncer, en fait, c'était son aspect souffreteux, sa maigreur et ce regard qui effrayait quiconque le croisait. Avec sa sagesse paysanne, Victoria s'était persuadée qu'il fallait que le petit mange beaucoup pour acquérir l'apparence d'un petit garçon de la campagne.

– Demain, je te ferai des pommes de terre et des tomates farcies, lui disait-elle. Je suis sûre que tu aimeras ça.

Quand Élie demeurait immobile, la tête baissée sur son assiette, incapable d'avaler une bouchée, elle se lamentait, faisant mine d'accuser Virgile de l'avoir trop fait travailler à l'atelier.

– Si Virgile te fait des misères, il faut me le dire, s'exclamait-elle. Je lui tirerai les oreilles, tu sais.

Un jour, à ces mots, Virgile prit un air apeuré et posa les mains sur ses oreilles comme pour les protéger. C'est alors que le miracle se produisit : un bref sourire naquit sur les lèvres d'Élie. Ils en demeurèrent abasourdis quelques instants, puis ils poussèrent le jeu plus loin, espérant un mot, enfin, mais en vain.

Quand la voiture du Dr Dujaric apparut un soir, dans la cour, le petit tira Virgile par la main et l'obligea à se réfugier avec lui dans la chambre. Il la serrait si fort que Virgile ne put redescendre et ce fut Victoria qui lui donna, un peu plus tard, les nouvelles apportées par le médecin. Une fois de plus, elles n'étaient pas bonnes : une section mobile de surveillance avait été créée par les autorités françaises à Mussidan, avec deux automobiles supplémentaires et des motocyclettes chargées de parcourir la campagne pour faire la chasse aux clandestins.

– Nous allons attendre de voir s'ils font des patrouilles régulières sur les collines, avait-il précisé. Jusqu'à ce que nous soyons fixés, nous nous contenterons de passer par la rivière.

Il y avait d'ailleurs un passage prévu pour le lendemain soir. Le médecin avait donné les mots de passe, les heures et le point de chute, toujours le même, à Reillac. Quand Virgile était redescendu pour écouter Victoria, le petit, qui ne le quittait pas, avait paru intrigué par ce qu'il entendait, mais ils n'y avaient pas accordé d'attention. En revanche, le lendemain à midi, tandis que Victoria renouvelait ses recommandations à Virgile pour le soir, évoquant les dangers de la rivière et ceux de la route de Reillac en pleine nuit, il se passa quelque chose d'étrange : prenant le bras de Virgile, Élie attira son attention et fit « non » de la tête, comme s'il avait peur pour lui.

– Ne t'inquiète pas, dit Victoria, Virgile a l'habitude.

Et elle reprit le cours de la conversation en insistant sur le fait qu'il s'agissait de faire passer la ligne à un couple qui devait trouver refuge à Périgueux, comme d'habitude. C'est alors que, dans le silence qui suivit ces précisions, ils entendirent la petite voix qu'ils n'espéraient plus et qui les pétrifia de stupeur :

– Il ne faut pas y aller.

Abasourdis, ils se dévisagèrent un long moment, plus émus qu'ils n'auraient su le dire, et ce fut Victoria, comme à l'accoutumée, qui retrouva ses esprits la première. Avec sa sagacité instinctive, elle comprit qu'il fallait faire semblant de ne rien avoir remarqué et elle s'adressa non pas au petit mais à Virgile qui regardait droit devant lui, n'osant affronter le regard de l'enfant de peur de briser le charme.

– À Reillac, tu pourras entrer une minute, reprit-elle, on te connaît suffisamment maintenant. Mais en redescendant, tu feras bien attention au carrefour de la petite route d'en bas. Ne la suis pas. Traverse-la et coupe à travers les prés.

Virgile finit par se lasser de ces recommandations qu'elle exagérait en espérant provoquer une nouvelle réaction du garçon. Il leva la main droite en disant :

– Ça va, j'ai compris.

Et, prenant Élie à témoin :

– Tu vois, c'est comme ça depuis toujours. Elle me traite comme un simple d'esprit.

– Elle a raison, dit le petit d'une voix qui était plutôt celle d'un adulte que d'un enfant. C'est dangereux.

Pétrifiés, ils venaient de comprendre en un instant que cet enfant était d'une maturité qu'ils n'avaient jamais soupçonnée. Au contraire, ils l'avaient considéré comme un être sans force, ébranlé au plus profond de lui. Souhaitant cette fois le ramener définitivement de ce côté du monde, Victoria s'adressa directement à lui :

– Mais non, c'est pas dangereux. Ne t'inquiète pas : Virgile l'a fait des dizaines de fois.

– C'est dangereux, répéta Élie.

Sans se concerter, ils décidèrent de ne pas trop insister et de se contenter de ce petit miracle pour aujourd'hui. Mais Victoria n'hésita pas à affronter le regard du gamin qui la troublait tellement : il lui sembla qu'un peu de la neige qui s'y trouvait avait fondu, et elle se leva rapidement pour aller cacher son émotion dans la souillarde, son refuge favori contre les événements de l'existence qu'elle ne maîtrisait pas.

Le soir même, à la tombée de la nuit, Virgile était allé vider sa barque. Il avait eu du mal à s'éloigner d'Élie qui avait demandé à le suivre, mais Victoria avait su trouver les mots pour persuader l'enfant de rester seul avec elle. On était à la fin du mois d'août. La nuit tombait plus tôt, déjà, lourde de tous les parfums accumulés au-dessus de la vallée pendant l'été. Il faisait bon, pas trop chaud, et l'herbe des prairies s'attendrissait de l'humidité venue de la rivière voisine.

Quand Virgile repartit, à une heure, après avoir dormi un peu, une douce fraîcheur l'accompagna le long du chemin qu'un rayon de lune éclairait presque comme en plein jour. Il frissonna, pressa le pas, toujours un peu inquiet à l'idée que sa barque pouvait avoir été découverte. Soulagé de la voir osciller doucement, le nez dans le courant qui la maintenait accotée à la rive, il essuya les planches où les passagers devaient s'asseoir, puis il décolla de la rive en forçant sur la rame et coupa droit vers le milieu de la rivière.

En cinq minutes, il accosta à l'endroit exact qu'il

avait projeté d'atteindre, noua la corde au tronc d'un aulne et monta sur la rive. Il savait qu'il était en avance. Il se répéta mentalement la phrase qu'il devait prononcer, puis il attendit tranquillement. Pas un bruit, pas un souffle de vent. Rien ne venait. Il s'assit sur le talus, attendit encore, tous ses sens aux aguets, comprit bientôt que l'heure était passée, et décida, comme prévu, de patienter encore un quart d'heure.

Au bout de ce laps de temps, cependant, personne n'était apparu. Il s'apprêtait à repartir quand il entrevit enfin des silhouettes sous le couvert des arbres, cinquante mètres devant lui. Un homme marchait devant – le guide, se dit Virgile – puis un couple qui avançait difficilement, l'homme soutenu par sa femme.

– Il y a un problème, dit le guide, dès qu'il eut donné les mots de passe à Virgile.

– Quel problème ?

– L'homme est blessé à une jambe. Il a du mal à marcher.

Effectivement, quand le couple s'approcha, Virgile constata que la femme, aussi grande que son mari, avait des difficultés à le soutenir. Un enfant – une fille ? un garçon ? – les suivait, semblant lui aussi marcher péniblement.

– Dépêchons-nous ! dit Virgile.

Il fit descendre d'abord l'homme en le soutenant et il lui parut très lourd. Puis il installa l'enfant

– une petite fille – et enfin la femme sur la planche du milieu.

– Ne bougez plus, dit-il, il n'y en a pas pour longtemps.

Sur la berge, le guide leva une main en signe d'adieu et disparut dans l'ombre. Virgile, que ce retard et les difficultés de l'homme à marcher tracassaient, appareilla en douceur et entreprit de franchir la rivière au plus court. Une fois de l'autre côté, il lui fut malaisé de hisser l'homme sur la rive, et il perdit encore cinq minutes à immerger sa barque, si bien qu'ils avaient une heure de retard en s'engageant sur le chemin.

Il ne fut pas étonné d'apercevoir Victoria qui, inquiète, était venue à leur rencontre.

– Il est blessé, dit-il en désignant de la main l'homme qui semblait beaucoup souffrir.

Victoria salua les passagers et leur dit :

– Venez vite.

Elle ouvrit le chemin tandis que Virgile passait un bras sous l'épaule de l'homme, sa femme le soutenant de l'autre côté. Il leur fallut beaucoup plus de temps que d'habitude pour atteindre la maison où les passagers s'écroulèrent sur les bancs, de part et d'autre de la table. Là, ils prirent un peu de repos sous les regards anxieux de Virgile et de Victoria qui se demandaient si l'homme pourrait marcher jusqu'à Reillac. Il était grand, maigre, avec des yeux gris, immenses, dans lesquels tout courage semblait avoir disparu. Sa femme, blonde, les yeux verts, avait l'air effrayée par cette aventure à laquelle, manifestement, ils n'étaient pas préparés. Leur fille, le regard rivé sur sa mère, tenait serrée dans ses bras une poupée de chiffon, et paraissait affolée.

Quand Victoria, après leur avoir offert un café, leur indiqua qu'il fallait repartir le plus vite possible, la femme lui jeta un regard désespéré et lui demanda combien de kilomètres il faudrait parcourir.

– Cinq, dit Virgile. Est-ce que vous vous en sentez la force ?

– Qu'est-ce qu'on peut faire d'autre ? demanda l'homme, qui souffrait manifestement beaucoup.

– Dormir dans la grange, expliqua Victoria, mais ce n'est pas recommandé : il faut s'éloigner de la ligne le plus rapidement possible.

– J'y arriverai ! dit l'homme.

– Alors en route ! décida Virgile, il est déjà deux heures et demie.

Victoria regretta de ne pouvoir les accompagner, mais il n'était pas possible de laisser Élie seul dans sa chambre. S'il se réveillait, il prendrait peur et on ne savait quelle serait sa réaction. Elle les suivit seulement jusqu'au sentier qui coupait à travers les prés, puis elle les regarda s'éloigner, rentra en soupirant, désolée de ne leur être d'aucun secours.

Les choses allèrent assez bien au début, mais l'homme s'épuisa rapidement et ce fut pour lui-même et ceux qui le soutenaient une véritable épreuve. À un moment donné, complètement découragé, il s'assit sur le bord de la route et murmura :

– Partez ! Laissez-moi là.

– Allons ! dit Virgile. On va réussir, vous allez voir. Appuyez-vous davantage sur moi.

Ils repartirent toujours aussi péniblement, et ils n'arrivèrent qu'à quatre heures et demie, Virgile étant aussi épuisé que les passagers. Contrairement à ce que lui avait suggéré Victoria, il n'entra pas avec eux, mais repartit aussitôt, car il ressentait une certaine angoisse, n'ayant jamais retraversé si tard la petite route qui longeait la rivière. C'était l'endroit le plus dangereux : après, il n'y avait que des prés et des arbres, et il était facile de disparaître sous leur couvert.

Il marcha d'un bon pas malgré sa fatigue, respirant les parfums tièdes de la nuit qui paraissait paisible. Face à lui, au loin, une frange de ciel rosissait au-dessus des collines. Toute appréhension l'avait quitté quand il parvint à la route, et il n'aperçut pas la voiture qui était stationnée dans un chemin, abritée par des chênes. Il entendit des portières claquer, se retourna, mais trop tard : déjà les gendarmes de la section mobile étaient sur lui, et il n'eut même pas le temps de chercher une explication à sa présence à une telle heure dans la campagne, car ils ne lui demandèrent rien. Ils l'entraînèrent vers la traction, le forcèrent à courber la tête pour y entrer, refermèrent violemment sur lui les portières noires, lui donnant l'impression qu'elles ne se rouvriraient jamais.

Victoria, qui s'était assoupie, se réveilla en sursaut et aperçut le jour à travers les volets. Elle s'assit sur le lit, regarda à côté d'elle, crut que son cœur s'arrêtait en constatant que Virgile n'était pas là. Elle descendit dans la cuisine en espérant qu'il s'y trouverait, mais elle était vide. Que faire ? Elle ne pouvait se rendre à Monestier prévenir le docteur, car elle ne voulait pas laisser Élie seul. Elle traversa la cour, fit quelques pas sur le chemin, alla jusqu'à la route puis se résigna à faire demi-tour.

Une fois chez elle, elle interrogea l'horloge dont le balancier de cuivre égrenait le temps : six heures et demie. Elle se mit à réfléchir : si Virgile et ses passagers avaient été arrêtés, il était probable que les gendarmes viendraient enquêter à la Sauvénie. Bien qu'Élie eût des papiers en bonne et due forme, il valait mieux qu'ils ne le découvrent pas, car il risquait de montrer des signes d'affolement et de se trahir. Que faire ? Où le cacher ? Il n'accepterait jamais de rester seul dans la grange que, de toute façon, les gendarmes visiteraient à coup sûr. Ils fouilleraient également les chambres, l'appentis, toutes les dépendances.

Les yeux de Victoria se portèrent sur le placard, sous l'évier de la souillarde, qui faisait quatre-vingts centimètres de haut et quarante de large. Personne n'aurait l'idée d'aller fouiller là-dedans, car aucun homme ne pouvait y entrer. Elle le débarrassa de toutes les casseroles et les produits de vaisselle qui s'y trouvaient, le nettoya, puis alla réveiller Élie qu'elle bouscula un peu afin qu'il descende déjeuner le plus vite possible. Il s'étonna de l'absence de Virgile, mais elle lui expliqua qu'il était allé acheter du bois dans la forêt et que, peut-être, il resterait absent plusieurs jours. Le petit en parut contrarié, très inquiet, même. On aurait pu croire qu'il avait deviné ce qui s'était passé.

– Tu vas voir, lui dit-elle, on sera bien, tous les deux.

Il ne répondit pas, se contenta de la dévisager avec ses grands yeux froids qui semblaient dévorer son visage étroit, plein de doute et d'incompréhension.

Elle le fit déjeuner, mais il toucha à peine à la tranche de pain couverte de confiture et au bol de café au lait. Il l'interrogeait du regard et elle ne pouvait s'y soustraire. Manifestement, cet enfant devinait tout. Aussi, quand elle lui désigna le placard sous l'évier en lui expliquant qu'il faudrait se cacher là si quelqu'un venait, il y entra de lui-même pour vérifier qu'il pouvait y demeurer assis, les mains enserrant ses genoux repliés. Il ne lui posa pas de questions, se contenta de la fixer avec un brin de reproche dans les yeux, quand elle lui expliqua que Virgile partait souvent acheter du bois au-dessus de Reillac, à Saint-Michel-du-Double, chez un forestier.

– Tu verras, il t'emmènera un jour prochain.

Toujours pas de réponse, comme si le petit avait décidé de ne parler qu'en présence de Virgile.

– Tu as perdu ta langue aujourd'hui ? s'étonna-t-elle.

Elle lui demanda de remonter s'habiller, puis elle s'installa face à la fenêtre tout en se mettant en cuisine, afin de surveiller le chemin. Là, en épluchant des pommes de terre, elle réfléchit sur la conduite à tenir. Comment prévenir le Dr Dujaric ? Lui seul pouvait agir, elle en était certaine. Il lui expliquerait au moins ce qui s'était passé et ce à quoi il fallait s'attendre. Elle baissait la tête sur son ouvrage puis la relevait brusquement, espérant follement apercevoir la silhouette de Virgile, là-bas, derrière les arbres. Elle usa plusieurs fois de ce stratagème destiné à entretenir l'espoir en elle, puis elle invita Élie à descendre, car elle avait besoin d'une présence. Mais très vite, comme le regard froid de l'enfant l'indisposait, elle lui dit :

– Viens ! On va aller chercher les œufs.

Il fit « non » de la tête.

– Oh ! dis ! Tu vas pas me faire cette tête pendant toute la journée !

Mais elle n'insista pas et examina le plus calmement possible toutes les hypothèses. Si Virgile n'avait pas été arrêté, il avait peut-être chuté dans l'obscurité et il était blessé. Il fallait lui porter secours. Mais comment le trouver et comment prévenir ? Il n'y avait pas autre chose à faire qu'à attendre, en espérant que ce serait le médecin qui viendrait le premier à la Sauvénie et non pas les gendarmes. Elle s'arrima à cette pensée : Virgile était blessé, il n'avait pas été arrêté. Une cheville foulée, ce n'était pas très grave. Puis elle se souvint du passager qui ne pouvait marcher et cette idée la rassura davantage : peut-être avaient-ils trouvé refuge à mi-chemin, du fait qu'ils n'avaient pu atteindre Reillac. Dans ce cas, Virgile attendrait la nuit prochaine pour les conduire à bon port.

Elle passa la matinée à s'occuper de la cuisine et du ménage, cependant qu'Élie, enfin, dessinait sur un cahier, à l'autre bout de la table, au grand soulagement de Victoria. Ce fut un peu avant midi qu'une voiture se fit entendre sur le chemin et que, aussitôt, l'enfant disparut dans le placard sous l'évier, avec un air épouvanté. C'était le Dr Dujaric. Victoria se précipita à sa rencontre, l'accueillit sur le seuil, en disant précipitamment :

– Virgile n'est pas rentré.

– Je sais. Il a été arrêté. Ils l'ont emmené à Mussidan, mais il ne faut pas vous inquiéter : les passagers ne se trouvaient plus avec lui. Ils ne pourront pas le garder bien longtemps.

– Mon Dieu ! fit Victoria. Arrêté !

Le docteur la prit par les épaules, répéta :

– Il est tombé au milieu des rafles décidées par le préfet. Mais il n'est pas juif et il était seul. Il ne risque rien.

Elle s'apaisa, soupira.

– Rappelez-vous ce que nous avons convenu : en cas de problème, il doit prétendre avoir rendez-vous avec Baptiste Vézillou, le forestier, sur la route de Saint-Michel, pour acheter du bois. J'ai fait prévenir Baptiste. Je le connais bien, je l'ai encore vu il y a trois jours. Il confirmera.

Le médecin refusa de s'asseoir car il était pressé. Victoria le suivit jusqu'à la voiture et là, de nouveau, il la rassura :

– Dans deux ou trois jours il sera là. Je vous le promets.

Elle se retrouva seule quand la voiture eut disparu, et elle songea brusquement à Élie dans son placard. Elle rentra pour le délivrer et comprit qu'il avait tout entendu. Elle eut beau expliquer, décrire la situation dans laquelle ils se trouvaient, il ne prononça pas un mot et monta dans sa chambre, après lui avoir jeté un regard si lourd de reproches qu'elle ne songea même pas à se justifier.

Cependant, les paroles du médecin l'avaient réconfortée, et elle décida de faire face à la situation en se préparant à la visite des gendarmes, qui, effectivement, ne tardèrent pas. Ils arrivèrent au tout début de l'après-midi, lui posèrent des questions auxquelles elle s'attendait, mais ne fouillèrent ni la maison ni la grange. Elle leur confirma que Virgile avait rendez-vous l'avant-veille au soir avec Baptiste Vézillou pour lui acheter du bois.

– J'espère que vous le relâcherez avant ce soir, dit-elle au moment où ils ressortaient.

– Ça m'étonnerait, répondit le brigadier. Il y a longtemps qu'on l'avait à l'œil.

– Il a le droit de travailler, tout de même.

– Nous aussi.

Elle n'insista pas, et ils finirent par s'en aller, dépités d'avoir entendu la confirmation de l'alibi avancé par Virgile. Elle se retrouva seule avec Élie qui sortit de sa cachette et elle lui dit, tentant de se persuader elle aussi :

– Il sera là ce soir.

L'enfant ne répondit toujours pas mais il s'assit à table, en face d'elle, comme s'il avait décidé de partager le poids d'une absence dont il avait deviné qu'elle souffrait.

Trois jours avaient passé et Virgile n'était toujours pas revenu. Le médecin, qui venait à la Sauvénie chaque fin de matinée, paraissait aussi confiant que lors de sa première visite, mais Victoria sentait un doute s'insinuer dans son esprit. Il s'était peut-être passé quelque chose qu'il n'avait pu prévoir. Et si Virgile avait parlé ? Non, ce n'était pas possible. Sa défense était claire, incontestable : Baptiste avait confirmé aux gendarmes qu'il avait marqué du bois avec Virgile, la veille au soir. Alors ? Que se passait-il ?

– Rien de grave, avait dit Dujaric. Ils s'occupent d'abord des juifs qu'ils ont raflés : plus de trois cents personnes. Il faut garder confiance. Tout va s'arranger.

Pendant ces trois jours, Élie s'était quelque peu rapproché d'elle, et un soir, alors qu'ils mangeaient face à face en silence, il avait murmuré, lui faisant relever la tête de surprise :

– Il va revenir.

Victoria avait trouvé la force de sourire et elle avait dit, d'une voix où l'enfant avait décelé une évidente sincérité :

– Heureusement que tu es là, toi.

Depuis, elle vivait avec la conviction que ces trois jours, même difficiles, n'auraient pas servi à rien : ils leur auraient au moins permis de se rapprocher et de se rencontrer. Le regard du petit venait de changer : après la méfiance, les reproches muets, il exprimait maintenant une sorte d'alliance dans l'adversité, et peut-être, semblait-il parfois à Victoria, une confiance toute neuve forgée dans le courage dont elle faisait preuve. En effet, elle ne se lamentait pas et, au contraire, affirmait régulièrement des certitudes alors qu'en réalité elle doutait de plus en plus. Le petit avait découvert une vraie présence capable de le protéger contre toutes les menaces du monde et il en était réconforté. S'il s'était méfié d'elle, au début, c'était précisément à cause de sa voix, de sa force, alors que Virgile personnifiait surtout la douceur, la non-violence, tout ce qui était différent de ce dont il avait souffert. Mais sous la carapace de Victoria, l'enfant avait fini par deviner un refuge au sein duquel il pourrait peut-être oublier le passé.

– Demain soir il sera là, répéta-t-elle, le troisième jour, alors qu'ils prenaient leur repas face à face et que les yeux du petit l'interrogeaient une nouvelle fois.

Et elle ajouta, d'un ton détaché :

– Tu sais, Virgile, il n'est jamais pressé.

Et elle se mit à lui raconter, en confidence, leur vie depuis leur mariage, à lui parler de l'incapacité de Virgile à se faire payer, de sa passion pour la pêche, de son adresse à travailler le bois, du père de Virgile, aussi, qui lui ressemblait tant.

Au terme de ce récit que l'enfant avait suivi avec beaucoup d'intérêt, il murmura, d'une voix brisée :

– Je n'ai plus de père, moi.

D'abord suffoquée, se sentant coupable d'avoir mené la conversation jusqu'à un seuil interdit, Victoria s'écria :

– Qu'est-ce que tu racontes ? Ton père, aujourd'hui, c'est Virgile.

Et elle ajouta, avec une conviction indiscutable :

– Et il sera là demain.

Élie n'insista pas. Sans doute avait-il besoin de croire aux paroles qu'il entendait, comme si cette affirmation constituait la seule manière possible d'envisager l'avenir.

Le repas terminé, ils s'assirent sur le banc de pierre, face à la route qu'ils devinaient, là-bas, derrière les arbres, partageant l'espoir muet d'apercevoir une silhouette familière. Au fur et à mesure que la nuit tombait, Élie se rapprocha d'elle, qui finit par passer son bras autour de ses épaules. Ils restèrent assis sans parler jusqu'à l'obscurité, dans le parfum lourd du regain presque à terme, et celui, plus léger, des feuilles en fanaison. Aucun bruit ne s'élevait de la vallée : pas le moindre aboiement de chien, ni de charroi, ni de moteur.

– Allons dormir, dit-elle.

Elle resta un long moment à veiller le petit, jusqu'à être certaine qu'il avait bien trouvé le sommeil, puis elle gagna sa chambre où elle demeura de longues heures les yeux ouverts dans l'obscurité, guettant vainement des pas dans la cour. Mais rien ne vint troubler la paix de la nuit et elle finit par s'endormir.

Malgré le manque de sommeil, elle s'éveilla avant le jour, descendit aussitôt et s'occupa dans l'étable à la traite puis à la litière de la vache. Le soleil apparut bientôt, à l'aube d'une journée qui s'annonçait belle, sans le moindre nuage dans un ciel d'un bleu de dragée. Son espoir de voir arriver Virgile grandit au fur et à mesure que le temps passa, fortifié par la présence d'Élie, qui, une fois levé, vint s'asseoir de lui-même sur le banc de pierre pour surveiller la route.

Une demi-heure s'écoula, puis une heure, puis deux. Victoria abandonnait son ouvrage et venait voir de temps en temps, ne disait mot et rentrait de nouveau. Ils commençaient à désespérer quand enfin, vers onze heures, le petit poussa un cri et se mit à courir, faisant sursauter Victoria plongée dans ses pensées. Elle sortit et aperçut l'enfant qui se jetait dans les bras de Virgile, lequel faillit tomber sous le choc. S'essuyant les mains à son tablier, elle les regarda s'approcher, fit quelques pas dans leur direction, n'aperçut pas le sourire du petit mais les ecchymoses sur le visage de son mari.

Feignant de n'avoir rien remarqué, elle ne l'embrassa pas – ce n'était pas dans leurs habitudes quand ils n'étaient pas seuls – mais elle s'exclama, avec sa brusquerie coutumière que seul faillit trahir un sanglot étouffé :

– Ah ! tu es propre ! Viens vite te laver et te changer. Après, tu mangeras un morceau.

Et elle ajouta avant de faire demi-tour et en évitant de le regarder :

– Tu dois avoir faim.

– Oui ! dit Virgile, j'ai une faim de loup.

Une fois dans la maison, il monta dans la chambre faire un peu de toilette avec l'eau du broc et de la bassine posés sur la commode au plateau de marbre, tandis que Victoria et Élie l'attendaient en bas. Victoria tremblait intérieurement de ce qu'elle avait vu. Une immense colère vibrait en elle. Elle avait encore dans les yeux cette sorte de stupeur douloureuse qui était inscrite sur le visage de Virgile. C'était comme si elle ne l'avait pas reconnu, comme s'il lui revenait irrémédiablement changé par ces trois jours. Mais elle était bien décidée à ne rien montrer à Élie qui demanda simplement, quand Virgile fut assis face à lui :

– Qu'est-ce que tu as ? Tu t'es fait mal ?

– Je me suis cogné, répondit Virgile. Il n'y avait pas de lumière, tu comprends ?

– D'autant que tu te cognes même quand il y a de la lumière, plaisanta Victoria.

Puis elle retourna dans la souillarde sans parler davantage, attendant que Virgile veuille bien se confier. Il fallut qu'Élie lui pose des questions pour qu'il explique, du bout des lèvres, et très rapidement, ce qu'il avait vécu : les gendarmes l'avaient conduit au commissariat de Périgueux, ils l'avaient interrogé, puis il avait dormi dans une cellule de la prison où se trouvaient six personnes. On l'avait cuisiné de nouveau le lendemain, et il avait confirmé ce qu'il avait dit la veille : il était allé commander du bois chez

Baptiste. Pendant trois jours, il n'avait mangé que de la soupe et du pain rassis.

– C'étaient des gendarmes français ou des Allemands ? demanda alors Victoria.

– Des Français. Il n'y a pas d'Allemands à Périgueux. En tout cas, j'en ai pas vu.

Victoria marmonna des imprécations dont elle seule savait à qui elles étaient destinées, puis elle dit au petit, feignant de se réjouir sans la moindre arrière-pensée :

– Tu vois ! Je te l'avais dit qu'il serait de retour aujourd'hui.

Virgile les dévisageait, essayant de sourire, mais il n'y parvenait pas. Victoria avait toujours autant de mal à poser son regard sur lui. Elle avait deviné ce qu'il avait subi, mais elle se refusait à l'admettre, repoussait de toutes ses forces la pensée que Virgile avait souffert. Combien elle eût préféré à cette heure avoir été, elle, emprisonnée à la place de cet homme qui était incapable de faire du mal à qui que ce soit, et dont toute la vie avait été ensoleillée par une bonté maladive ! Plus les minutes passaient et plus la colère bouillonnait en elle. Elle n'en pouvait plus de le voir là, devant elle, si défait, si plein d'incompréhension, si meurtri.

– Tu devrais aller faire la sieste, dit-elle. Tu dois être fatigué.

Virgile ne se fit pas prier. Malgré Élie, qui ne voulait pas le quitter après l'avoir attendu si longtemps, il monta dans la chambre et disparut enfin.

Pendant l'heure qui suivit, Victoria s'appliqua à rassurer l'enfant, lui promettant que Virgile l'emmènerait à l'atelier dès qu'il redescendrait.

– Nous irons tous les trois, précisa-t-elle.

Et elle se félicita du fait qu'il y eût Élie entre Virgile et elle. Elle avait décidé qu'elle ne l'interrogerait pas davantage sur ce qui s'était passé à Périgueux. La vie ne devait pas être orientée vers l'ombre mais vers la lumière. C'était ainsi qu'ils vivaient depuis toujours et c'était ainsi qu'elle voulait continuer à vivre.

Pendant les jours qui suivirent, Virgile ne retrouva pas son insouciance, malgré les paroles toujours aussi vives et la gaieté forcée de Victoria :

– Regarde-le ! disait-elle à Élie, il a pris des habitudes de bohémien là-bas. Il ne se rase même plus.

Elle savait très bien pourquoi Virgile ne se rasait plus : c'était pour cacher ce qu'il y avait à dissimuler sur son visage, mais elle avait choisi, comme à son habitude, d'en plaisanter, parce qu'il n'y avait pas d'autre solution. Et elle s'y tenait. Si ce n'était pas pour eux, au moins pour l'enfant qui en avait besoin.

Elle devinait que Virgile s'était confié au Dr Dujaric venu lui rendre visite à l'atelier. Elle les avait laissés seuls un moment, emmenant Élie se promener au bord de la rivière. À leur retour, le médecin, le visage fermé, les mâchoires serrées, avait annoncé à Victoria que Virgile ne se chargerait plus des passagers à l'avenir. C'était devenu trop dangereux pour lui. Le regard qu'elle avait lancé au colosse lui avait fait comprendre que, de toute façon, elle n'aurait pas accepté de voir son mari continuer.

– Je suis désolé, avait-il dit. Je n'ai pas pu savoir assez tôt que des rafles étaient prévues ce jour-là. Mais je ne vous ai jamais caché que c'était dangereux.

– C'est vrai, avait-elle rétorqué d'un ton qui ne l'invitait pas à poursuivre la conversation.

Il avait ajouté pourtant, désireux de lui témoigner une nouvelle fois toute son affection :

– Cacher des enfants chez vous, c'est déjà beaucoup.

Elle n'avait pas répondu, mais elle n'avait pas souhaité le laisser partir avec l'impression qu'elle lui en voulait et elle l'avait accompagné jusqu'à sa voiture. Là, avant de monter, il avait posé ses mains sur les épaules de Victoria et avait murmuré :

– S'il n'était pas revenu, je ne me le serais pas pardonné.

– Moi non plus, dit Victoria.

Il l'avait embrassée puis il était parti en faisant vrombir le moteur de sa voiture comme à son habitude.

Depuis, elle s'en voulait de s'être montrée hostile envers cet homme qui prenait beaucoup plus de risques qu'eux et dont l'amitié lui était précieuse. Elle se manifesta d'ailleurs une nouvelle fois quand

Élie tomba gravement malade, quinze jours après le retour de Virgile. Une forte fièvre et des douleurs dans le ventre le jetèrent sur le flanc en vingt-quatre heures, au point que le médecin diagnostiqua une typhoïde. Il fallait l'hospitaliser à Périgueux, ce à quoi Victoria, d'emblée, se refusa farouchement.

– Il n'y sera pas en sécurité, vous le savez bien, s'indigna-t-elle.

– Le garder ici, c'est prendre des risques bien plus importants.

– Pas si vous vous occupez de lui.

– Il faudrait que je vienne midi et soir.

– Et alors ? C'est impossible ?

Le médecin comprit qu'elle n'en démordrait pas et finit par accepter de se charger d'Élie dont la vie fut en grand danger pendant près d'une semaine. Les sulfamides n'étaient pas très efficaces en la matière, et il fallait s'en remettre au destin, c'est-à-dire à la force vitale de ceux qui souffraient d'une telle maladie.

Victoria, elle, souffrit surtout de voir l'enfant se débattre contre la mort et comprit à quel point il lui était devenu cher. Elle passait son temps dans la chambre, lui tenant la main et lui parlant sans cesse comme pour empêcher de se rompre le lien qui l'unissait à elle.

Fanny, prévenue par le médecin, vint en visite à deux reprises, et leur fut d'un grand réconfort. Quand Victoria quittait la chambre, c'était Virgile qui prenait le relais et restait près du petit malade. Enfin, au terme d'une première semaine périlleuse, la fièvre tomba légèrement, et l'on put considérer qu'Élie était sur la voie de la guérison. Mais il ne put se lever qu'au bout de trois semaines, sous l'œil soulagé du médecin, très conscient d'avoir pris des risques insensés à cause de Victoria. Élie avait maigri de trois kilos, il tenait à peine sur ses jambes, mais il était sauvé, et la vie put reprendre son cours.

Virgile se rasait de nouveau, semblait avoir oublié ce qu'il avait vécu, mais de temps en temps, cependant, son regard se voilait, devenait fixe, et Victoria lui lançait :

– Où es-tu ?

– Là, disait-il. Je suis là.

Et il riait, ce qui réjouissait aussi Élie. Victoria, elle, était comblée en constatant que le petit lui était maintenant aussi attaché qu'à Virgile. Au cours de ces trois semaines, l'enfant avait senti combien il pouvait faire confiance à cette femme. Il lui semblait aujourd'hui que toutes les menaces s'étaient évanouies avec sa maladie, qu'il allait pouvoir vivre en oubliant la peur dans laquelle il avait vécu si longtemps.

7

DES semaines passèrent, au cours desquelles effectivement, rien ne vint troubler cette existence secrète, repliée sur elle-même, sinon la nouvelle de rafles intervenues dans les villages alentour, le 8 octobre 1942. Dujaric, venu en visite, leur apprit que les Weisemann n'avaient pas été inquiétés. Il ne semblait pas que les risques fussent plus importants maintenant qu'hier à Périgueux pour la famille de Sarah, au contraire : il était plus facile de passer inaperçu dans une grande ville que dans une bourgade où tous les habitants se connaissaient.

Petit à petit, Élie s'était mis à parler, évoquant même le jour où ses parents avaient été assassinés. Il pleura longtemps, ce soir-là, mais Victoria comprit que le fait d'avoir pu se confier lui avait fait du bien. Le lendemain, il parut avoir oublié et Victoria sentit qu'il y avait une véritable force de vie dans cet enfant, ce qu'elle avait déjà deviné lors de sa maladie.

Virgile, lui, semblait soulagé de n'avoir plus à faire franchir la ligne aux réfugiés. Il avait rentré sa barque dans l'atelier et l'avait cachée sous un tas de sciure. Il y passait de longs après-midi avec Élie, qui prenait plaisir à l'aider. Le matin, le petit restait plutôt auprès de Victoria qui s'occupait de la basse-cour et du jardin. Après quoi, elle se mettait en cuisine en professant, comme à son habitude, que bien manger était la condition du bien vivre. Elle devina que les parents d'Élie avaient moins de religion que ceux de Sarah, car il y faisait rarement référence, ne semblait pas se préoccuper de ce qu'il mangeait. Elle aurait bien voulu connaître dans le détail sa vie d'avant, mais elle ne le questionnait guère, craignant de lui faire penser au drame passé.

Ils guettaient toujours avec un peu d'appréhension la route où pouvaient apparaître les gendarmes ou des visiteurs non souhaités, mais Virgile avait ouvert une trappe dans le mur de la chambre mansardée de l'enfant, qui donnait sur ce qu'il restait du grenier. Un panneau de bois pouvait être encastré de l'extérieur, isolant complètement le refuge. Il avait donc été convenu qu'à la moindre alerte Élie devait courir s'y cacher, et ils en avaient fait l'essai, qui s'était avéré concluant, à plusieurs reprises.

Il n'était évidemment pas question qu'Élie fréquente l'école, qui avait repris le 1er octobre, au début d'un automne qui avait apporté avec lui des parfums de futaille, de caves ouvertes et de champignons. Un matin de très bonne heure, pour tenir leur promesse, Virgile et Victoria avaient conduit Élie dans la forêt, malgré les risques, pour chercher les cèpes et les girolles. Ils lui avaient appris à distinguer les têtes noires sous les résineux, et les grands cèpes au chapeau brun sous les feuillus. L'enfant avait pris goût à cette recherche si nouvelle pour lui, et il les appelait chaque fois qu'il trouvait un bolet, leur demandant de vérifier si c'était « un bon ou un mauvais ».

Depuis qu'ils avaient cessé de faire passer des clandestins, Virgile et Victoria se sentaient beaucoup moins en danger. Ils auraient presque oublié la guerre si le souvenir de ce qu'il avait vécu n'accablait parfois Élie, surtout à la tombée de la nuit.

– Pourquoi nous ? demanda-t-il un soir, alors qu'ils finissaient de manger dans un silence uniquement troublé par le craquement des bûches dans la cheminée.

Et, devant l'incompréhension de Virgile et de Victoria :

– Qu'est-ce qu'on a fait, nous, les juifs, pour qu'on nous veuille autant de mal ?

– Et qu'est-ce que tu veux avoir fait ? s'exclama Victoria après un lourd silence.

Désarmée, elle réfléchissait mais ne trouvait pas de réponse susceptible d'éclairer l'enfant.

– Dis-lui, toi ! fit-elle en s'adressant à Virgile qui

parut s'éveiller d'un songe, comme à son habitude, en se frottant les yeux.

Puis, comme il haussait les épaules d'un air désemparé :

– Ce sont des grimaces, tout ça. Il y a toujours eu des gens qui cherchent des poux dans la tête des autres. C'est comme ça depuis que le monde est monde, et ça durera jusqu'à la fin des temps.

Ces arguments simplistes et sans véritable signication avaient le mérite de réduire le drame que l'enfant avait vécu à une dimension presque acceptable. Il sourit en observant Victoria qui s'emberlificotait dans des arguties qu'elle croyait nécessaires, alors qu'elle ne pouvait trouver mieux que ce qu'elle avait avancé.

– Il y a même des femmes qui ne supportent pas leur mari. Surtout quand elles ont affaire à des bons à rien.

Elle dévisagea Virgile qui prit un air accablé, comme à son habitude, et Victoria, satisfaite d'avoir fait diversion, servit Élie en ajoutant :

– Mange ! Tiens ! Ça vaudra mieux que de te poser des questions qui n'ont ni queue ni tête.

Avec la fin des beaux jours, ils sortaient moins, et, la nuit tombant plus tôt, ils se réfugiaient dans la cuisine ou flambait un grand feu. Là, Élie finissait par se sentir en totale sécurité, tandis que Victoria lui parlait de Noël qui approchait, des sabots que lui fabriquerait Virgile, de l'arbre qu'ils installeraient près de la cheminée.

Le matin du 12 novembre, cependant, le Dr Dujaric surgit de bonne heure, l'air préoccupé. Assis devant une tasse de café, il annonça d'une voix chargée d'émotion que les Allemands avaient franchi la veille la ligne de démarcation et étaient entrés en zone libre en représailles au débarquement des Alliés en Afrique du Nord.

– Qu'est-ce que ça veut dire ? demanda Victoria.

– Ça veut dire que maintenant ils seront partout chez eux et qu'il va falloir se méfier davantage.

– Alors il n'y a plus de ligne de démarcation ? fit Virgile.

– Non. Et il est probable que les choses vont se compliquer.

– Ils risquent de venir à la Sauvénie ?

– Ils peuvent passer sur la route, en tout cas. Il va falloir faire attention avec le petit.

Heureusement, Élie dormait encore et ne pouvait entendre la conversation qui s'acheva là, le médecin, toujours pressé, concluant :

– Je passerai chaque fois que je pourrai pour vous donner des nouvelles. En attendant, soyez prudents.

Il tint parole, vint chaque jour leur expliquer ce qui se passait dans le pays et leur annonça, une semaine plus tard, que les postes français avaient été supprimés sur le pont et sur la route nationale, et les gendarmes qui les occupaient repliés sur Mussidan.

– Avant, il était plus facile d'obtenir des renseignements, précisa-t-il, car on avait des antennes au sein de la gendarmerie, mais à présent, ce sera impossible avec les Allemands.

Et il ajouta en soupirant :

– Quand je pense que Pétain prétendait sauver le pays ! Voilà que maintenant toute la France est occupée !

– Et à Périgueux, qu'est-ce qui va se passer ? demanda subitement Victoria qui venait de penser à Sarah et à ses parents.

– En plus de la Milice, ils auront affaire à la Gestapo.

– La Gestapo ? Qu'est-ce que c'est que ça ?

– C'est la police allemande. Elle surveille même l'armée. Je crains que nos plus grosses épreuves soient à venir.

– Vous croyez que Sarah risque plus qu'avant ?

– Je le crains, oui.

– Elle serait plus en sécurité ici.

– Vous avez peut-être raison, Victoria, mais elle a des parents, et ce sont eux qui doivent en décider.

Victoria parut déçue, n'insista pas. Elle raccompagna le Dr Dujaric jusqu'à sa voiture et la regarda s'éloigner, pensive, se demandant si un jour ce ne serait pas une voiture allemande qui surgirait sur la route. À cette idée, elle frissonna et se hâta de rentrer dans la maison dont elle ferma prestement la porte derrière elle.

L'hiver s'installa avant la fin du mois, apporté par des rafales de pluie et de neige mêlées que le vent du nord faisait tourbillonner au-dessus des champs et des prés. Les arbres perdirent leurs dernières feuilles et prirent cette couleur rose cendré qui leur est naturelle en cette saison. À la Sauvénie, on avait l'impression que toute vie s'était arrêtée, et que tout danger s'était du même coup éloigné. Virgile ne se rendait à l'atelier que l'après-midi, mais il n'emmenait plus Élie avec lui. L'enfant passait la journée avec Victoria, qui l'occupait comme elle le pouvait, c'est-à-dire en lui parlant beaucoup, afin de fortifier ce lien qu'après tant d'efforts elle avait réussi à nouer avec lui. Ils sortaient seulement le matin pour s'occuper de Blondine et des volailles, et Virgile, alors, surveillait la route d'où, à tout moment, pouvait survenir le danger.

Ce fut cependant une voiture connue qui apparut à la fin du mois de novembre : celle de Fanny, dont le médecin n'avait pourtant pas annoncé la visite. Toujours chaleureuse et reconnaissante envers Victoria et Virgile, elle se montra aussi émue par le changement constaté chez Élie.

– Vous lui avez rendu la vie, leur dit-elle, suscitant comme d'habitude les protestations de Victoria.

Puis Fanny fit un récit complet de la situation que l'arrivée des Allemands avait créée à Périgueux, et elle en vint au but de sa visite, qu'espérait secrètement Victoria :

– Les parents de Sarah souhaitent l'éloigner de la ville. C'est devenu trop dangereux là-bas. Mais vous avez déjà Élie, il ne faut pas que vous vous croyiez obligés de la prendre.

– Comment ça, obligés ? s'exclama Victoria, on vous l'a proposé plusieurs fois.

– Vous n'avez que deux chambres, et on ne peut pas faire dormir dans la même un garçon et une fille.

– On donnera la nôtre à Sarah.

– Et vous ? Où dormirez-vous ?

– On se débrouillera.

Fanny réfléchit un moment en les observant avec une lueur affectueuse dans les yeux.

– Vous ne vous rendez pas compte de la charge de travail que cela suppose. S'occuper de deux enfants de cet âge en même temps, avec tous les risques qui vont avec ! Si encore vous acceptiez d'être payés, j'aurais moins de scrupules à dire oui…

– Ah ! vous n'allez pas recommencer avec ça ! s'indigna Victoria. On vous a déjà dit qu'on n'avait besoin de rien.

Toujours aussi ébranlée par cet argument, Fanny demeura silencieuse un instant, puis :

– On peut essayer pendant quelques semaines et voir comment ça se passe, si ce n'est pas trop fatigant.

– Ne vous inquiétez pas pour la fatigue, fit Victoria, on n'est pas des vieillards, tout de même. Dites-nous plutôt quand vous allez nous l'amener.

Fanny ne répondit pas. Elle hésitait toujours, aussi bien pour les raisons qu'elle avait évoquées que pour des raisons de sécurité. Deux enfants dans un même lieu se remarquaient plus facilement qu'un seul. Mais elle ne disposait plus de famille d'accueil et les parents de Sarah étaient affolés par l'arrivée des Allemands. Elle n'avait pas le choix, et elle le savait. C'était vraiment par scrupule qu'elle s'était montrée réticente, ne souhaitant pas abuser de la générosité de ses hôtes.

– Qu'est-ce que tu en dis, toi ? demanda-t-elle à Élie. Ça te ferait plaisir d'avoir une sœur près de toi ?

– Oh, oui ! répondit le petit, qui, d'instinct, imaginait qu'il se sentirait moins seul, qu'il pourrait partager sa peur et ses secrets plus facilement qu'avec des adultes.

– Et vous, Virgile, qu'en pensez-vous ?

– Vous savez, on en a tellement manqué, d'enfants, qu'on préfère aujourd'hui en avoir un de plus que pas du tout !

– Eh bien, c'est entendu ! dit Fanny. Si tout va bien, je vous l'amènerai dans trois jours.

– À la bonne heure ! fit Victoria. Je suis sûre qu'on lui manquait beaucoup à cette petite.

Fanny n'eut pas le cœur de lui faire remarquer que « cette petite » avait des parents, d'autant que rien ne pouvait résister à l'enthousiasme émouvant de Victoria. Elle se confondit en remerciements, une nouvelle fois, sous l'œil courroucé de son hôtesse, puis elle s'en alla.

Dès que sa voiture eut disparu dans le chemin, Victoria réquisitionna Virgile afin qu'il entreprenne les travaux qu'elle avait déjà projetés : à l'opposé de la cheminée, de l'autre côté de la grande cuisine, se trouvait un recoin assez grand qui avait servi d'alcôve dans le temps, avant que les chambres n'aient été aménagées dans le grenier. Il suffisait donc de fixer une tringle et d'y accrocher un rideau pour en faire la chambre où ils dormiraient. Et Virgile, toutes affaires cessantes, dut s'atteler à la tâche après être allé chercher les outils nécessaires à l'atelier.

Pendant les deux jours qui suivirent, ils récupérèrent le lit de fer et le matelas qui avaient été remisés dans la grange, il y avait bien longtemps. Ils les nettoyèrent et les installèrent à la place qu'ils avaient occupés jadis, se rendant compte qu'il y avait même l'espace nécessaire pour une petite commode entre le lit et le mur. Désormais, il existait trois chambres dans la maison : tout était prêt pour accueillir celle dont ils avaient toujours espéré le retour.

Elle avait grandi, Sarah, elle avait changé aussi, et ses yeux portaient l'ombre d'une séparation d'avec ses parents à laquelle elle n'était pas préparée. Elle s'y était d'ailleurs refusée jusqu'au dernier moment, non parce qu'elle ne voulait pas vivre de nouveau avec Virgile et Victoria, mais parce qu'elle redoutait de ne plus revoir son père et sa mère. Ce qui se passait à Périgueux depuis le 12 novembre, la présence dans les rues de ces uniformes si redoutés, les camions blindés, les Mercedes décapotables, les bruits de bottes, tout cela était effrayant. Sarah savait sa mère et son père en danger. Elle ne cessait d'y penser, écoutant à peine Victoria qui, comme à son habitude, cherchait à faire diversion, à lui faire oublier ce qui menaçait les siens.

La présence d'Élie, heureusement, l'y aida. Il avait un an de moins qu'elle, mais encore plus de maturité. Ce qu'il avait vécu l'incitait à se réjouir de la vie qu'il menait entre Virgile et Victoria, à se contenter d'exister au présent, à l'abri, sans trop songer à l'avenir. Ils s'entendirent tout de suite très bien et ce qu'avait espéré Victoria se réalisa rapidement : on aurait dit deux frère et sœur qui se soutenaient, jouaient ensemble, partageaient l'essentiel d'une vie recluse, certes, mais dans la chaleur d'un foyer où ils se savaient protégés.

Il ne fallut pas longtemps pour que des rires

s'échappent de la porte ouverte de la chambre de Sarah, à l'étage, où la rejoignait souvent Élie, pour des jeux mystérieux auxquels Victoria n'avait pas accès. Elle feignait d'en prendre ombrage, s'en désolait à sa manière, c'est-à-dire en exagérant ses propos, lançait :

– Voilà que maintenant ils se moquent de moi, ces garnements ! Qu'est-ce que j'ai fait au bon Dieu pour mériter ça ?

Mais le sourire qui fleurissait sur ses lèvres démentait la moindre déception, et elle passait son temps à préparer des gâteaux de maïs ou des crêpes dont elle gavait ses deux pensionnaires en repoussant d'emblée tout argument de refus :

– Si vous ne mangez pas, s'écriait-elle, vous tomberez malades et vous devrez aller à l'hôpital.

Et elle ajoutait, levant un index menaçant :

– Je vous conduirai moi-même à Périgueux.

Virgile, lui, ne s'éloignait guère de la maison. Il avait transféré quelques-uns de ses outils de l'atelier vers la grange, d'où il pouvait facilement surveiller la route. Victoria était allée acheter un sifflet à Monestier, dont il était censé se servir si un véhicule inconnu apparaissait. Dans ce cas, les deux enfants devaient monter dans la chambre d'Élie et se cacher dans le grenier, derrière le panneau aménagé par Virgile. Ainsi commencèrent à couler les jours vers le mois de décembre, et donc la Noël, que Victoria évoquait chaque soir, laissant imaginer aux petits une fête qui, espérait-elle, occuperait suffisamment leur esprit pour leur faire oublier les dangers.

Il fit très froid début décembre, et quelques flocons de neige virevoltèrent dans l'air d'une sonorité d'église. Le gel finit par emprisonner dans sa main de fer-blanc l'herbe rase des prés et les branches des arbres. Elles restèrent captives de ces enluminures qui faisaient penser à des lustres et attiraient près de la fenêtre les deux enfants émerveillés.

On aurait dit que la vie, au-dehors, s'était interrompue, que nulle menace ne pouvait en surgir et, pourtant, le Dr Dujaric arriva un soir, porteur d'une terrible nouvelle : la famille Weisemann avait été arrêtée.

– Ils ont été dénoncés, dit-il.

– Non ! dit Victoria, ce n'est pas possible. Personne, ici, ne peut faire une chose pareille.

– Vous vous trompez. Nous en sommes sûrs. D'ailleurs les miliciens ne s'en sont pas cachés.

– Non ! répéta Victoria, je ne vous crois pas.

Et, comme elle secouait la tête, refusant d'admettre une telle vérité, le médecin ajouta :

– Il va vous falloir être très prudents.

Avant de raconter plus précisément ce qui s'était passé à Reillac, Dujaric avait pris soin de demander aux enfants de monter dans leur chambre.

– Et en cas de problème, qu'est-ce que vous avez prévu pour eux ? demanda-t-il au terme de son récit.

– J'ai aménagé une trappe dans le grenier, dit Virgile. Elle est tellement ceintrée qu'on ne peut la deviner de l'extérieur.

Dujaric hocha la tête, apparemment rassuré.

– Bon, dit-il, c'est bien.

Le silence régna pendant quelques instants, puis Victoria demanda :

– Qu'est-ce qu'ils en ont fait ?

Le médecin comprit qu'elle parlait des Weisemann, et répondit du bout des lèvres :

– Tout ce que je sais, c'est qu'ils ont été transférés à Drancy, dans la banlieue parisienne. Après, je ne sais pas ce qu'ils sont devenus...

De nouveau le silence tomba, les laissant désemparés, puis Dujaric se reprit le premier et dit, d'une voix soudain plus ferme :

– Ne pensez plus à tout ça. Pensez aux enfants. C'est ce qui compte maintenant.

Il partit en coup de vent, comme à son habitude, mais il sembla à Victoria et à Virgile, qui l'accompagnaient dans la cour, que son pas était plus lourd, sa démarche moins assurée.

Ils ne soufflèrent mot de ce qu'ils avaient appris à Sarah et à Élie, mais ils se demandèrent si la fillette et le garçon n'avaient pas écouté la conversation, tant ils leur parurent agités durant la journée qui suivit. À partir de ce jour, Virgile et Victoria se relayèrent près de la fenêtre pour surveiller la route, mais rien ne vint troubler leur vie recluse, et souvent joyeuse grâce aux deux enfants dont la faculté d'oubli étonnait l'un et l'autre.

Ils commençaient à relâcher leur attention quand une traction surgit, le matin du 16 décembre, et s'arrêta dans la cour. Virgile donna l'alerte et Victoria monta à l'étage replacer le panneau derrière lequel les deux enfants s'étaient réfugiés. Heureusement, elle veillait chaque matin, avant qu'ils ne descendent déjeuner, à ce que tous les vêtements disparaissent dans les armoires, que traîne le mimimum de choses sur les descentes de lit, en tout cas aucun objet personnel qui trahirait une présence étrangère. En bas de l'escalier, seuls les sabots offerts par Virgile à Sarah le Noël précédent demeuraient visibles, car ils prouvaient une existence paysanne, celle de la nièce de Victoria censée venir régulièrement en vacances à la Sauvénie.

Deux miliciens et un membre de la Gestapo ouvrirent la porte sans frapper, à l'instant où Victoria posait le pied dans la cuisine. Virgile s'était levé, très pâle, mal assuré sur ses jambes, revivant sans doute en un éclair ce qu'il avait subi à Périgueux. Victoria se précipita près de lui, le prit par le bras et fit face à l'un des miliciens qui, le béret sur la tête, s'approchait d'eux.

– Où sont-ils ? demanda-t-il.

– Qui ça ? fit Victoria, embrasée par la colère de

voir entrer chez elle des hommes en noir, porteurs de tout le malheur du monde.

– Les enfants.

– Quels enfants ?

– Il y a des enfants ici, on nous l'a dit.

– C'est pas encore les vacances. La fille de ma sœur n'est pas arrivée. D'ailleurs, elle ne viendra pas ce Noël.

L'Allemand, vêtu d'un long manteau de cuir, une croix gammée sur le bras, s'approcha à son tour et dévisagea longuement Virgile et Victoria. Il fit un signe de la main et les miliciens montèrent à l'étage. Victoria sentait Virgile trembler contre elle, et elle aussi tremblait d'une rage de plus en plus incontrôlable, car elle avait compris qu'ils avaient été dénoncés. Par qui ? Comment ? Elle retint son souffle tout le temps que les hommes, là-haut, inspectaient les chambres, craignant que l'un des enfants ne se trahisse par un éternuement ou un mouvement trop brusque dans un espace aussi réduit que l'était le grenier. Les miliciens finirent par redescendre sans avoir rien remarqué, en parurent furieux, et, sur l'ordre de l'homme au manteau de cuir, sortirent et se dirigèrent vers la grange.

Pendant ce temps, l'Allemand fit le tour de la cuisine, écouta les bruits familiers de la maison, ouvrit le placard sous l'évier, le referma, puis revint tout près de Virgile et de Victoria.

– C'est pas bien cacher des enfants juifs ! fit-il avec

son accent prononcé, détachant les syllabes, ses yeux clairs fixant cet homme et cette femme qu'il avait du mal à imaginer coupables.

– Vous feriez pas une chose pareille ?

Ni Virgile ni Victoria ne répondirent.

– Vous savez ce que vous risquez ?

Victoria hocha la tête mais sans baisser les yeux.

Changeant de ton, l'Allemand lança, doucereux :

– Moi, je crois pas que vous faites ça. Des enfants juifs ne savent pas porter des sabots.

Il se tut, puis, subitement, cria :

– N'est-ce pas ?

– Non ! fit Victoria qui n'avait qu'une hâte : les voir repartir, de peur que les deux enfants se manifestent.

– Je suis sûr que vous êtes de bons Français, vous, tous les deux.

Et, de nouveau, il cria :

– N'est-ce pas ?

– Bien sûr, dit Victoria.

Il y eut un long silence, puis ils entendirent des pas se rapprocher, et les deux miliciens entrèrent. L'un d'eux secoua la tête d'un air dépité.

– Bien, bien ! fit l'homme au manteau de cuir. Nous allons nous en aller, madame, monsieur.

Il inclina légèrement la tête en prononçant les mots « madame, monsieur », puis il les dévisagea encore un instant, répéta :

– Je suis sûr que vous feriez pas une chose pareille.

Puis il fit volte-face, et, d'un signe, entraîna les deux miliciens derrière lui. Virgile et Victoria ne bougèrent pas d'un pouce tant que la voiture n'eut pas disparu au tournant de la route, et ils attendirent encore un long moment avant de trouver la force de faire un pas.

– Je monte rassurer les enfants, dit alors Victoria, mais je vais leur dire de rester cachés encore une heure, on ne sait jamais.

Virgile acquiesça, s'approcha de la fenêtre et y demeura jusqu'à ce qu'elle redescende. Alors, les jambes coupées, ils s'assirent face à face et ne purent s'empêcher de s'interroger :

– Qui a pu faire ça ? demanda Virgile.

– Et qui veux-tu qui ait fait ça ! s'insurgea Victoria. On ne va pas se mettre à croire les Allemands, maintenant ! Il manquerait plus que ça !

Il comprit qu'elle se refusait à admettre qu'on les ait dénoncés, que cette idée-là n'était pas supportable.

– Ils inspectent toutes les maisons, voilà tout, reprit Victoria. C'est quand même pas Rose et Henri qui les renseignent, non ? Alors, qui veux-tu que ce soit ?

C'est vrai qu'ils ne voyaient pas grand monde, que les passants étaient rares sur la petite route, qu'on pouvait certes les épier de loin, mais les enfants sortaient peu en cette saison. Peut-être était-il arrivé quelque chose au Dr Dujaric qu'ils n'avaient pas vu depuis cinq jours, ou bien c'était Fanny qui avait été arrêtée ? Tous deux envisagèrent cette éventualité, mais ils n'osèrent la formuler à voix haute, car ils étaient persuadés que ni le médecin ni Fanny n'aurait avoué quoi que ce soit.

– Bon ! trancha Victoria en se levant brusquement, on ne va pas vivre avec des soupçons pareils dans la tête ! Ils ont pris le parti de contrôler toutes les fermes de la vallée, un point c'est tout. D'ailleurs, dès qu'on verra le Dr Dujaric, il nous le confirmera. En attendant, je vais délivrer les petits, et on fera davantage attention.

Ils veillèrent à tour de rôle près de la fenêtre toute la journée, mais rien ne vint troubler la campagne assoupie dans le froid et le gel. Ils ne furent vraiment rassurés que lorsque Dujaric arriva le lendemain, un peu avant midi, et leur confirma qu'il ne croyait pas du tout à une dénonciation pour ce qui les concernait.

– Je pense qu'ils ont entrepris une action d'envergure sur toute la vallée, dit-il.

Et il ajouta, tandis que Victoria hochait la tête :

– Dans ce cas, le plus dangereux est peut-être passé. Mais il faut quand même continuer à être vigilants.

Il repartit, toujours pressé, paraissant de plus en plus accablé par le poids de ses responsabilités, mais les laissant soulagés, avec l'espoir de pouvoir vivre comme avant, dans cette relative sécurité à laquelle ils s'étaient peu à peu habitués.

Dans ces circonstances, Noël ne fut pas aussi beau qu'ils l'avaient espéré. Ils renoncèrent à décorer un sapin puisque Victoria avait prétendu qu'ils n'attendaient aucun enfant à cette occasion. Virgile fabriqua des sabots pour Élie et ils les placèrent devant la cheminée, avec ceux de Sarah, au dernier moment, avant d'aller se coucher.

Il ne fut évidemment pas question de se rendre à la messe de minuit, ni d'inviter qui que ce soit pour le réveillon. Victoria, cependant, confectionna un vrai festin qu'ils prirent tous les quatre autour de la grande table, non sans guetter les bruits à l'extérieur. Comme à son habitude elle se montra enjouée, piquant de ses sarcasmes Virgile à tout instant, puis, lorsqu'ils furent rassasiés, ils jouèrent aux cartes en attendant minuit. Alors, Victoria se mit à chanter de vieilles chansons, força Virgile à se lever et ils se mirent à danser, bientôt imités par Élie et Sarah dont les sabots claquaient sur le plancher. Ils tombèrent à plusieurs reprises, riant et criant à la fois, continuèrent un long moment, tandis que Virgile et Victoria s'étaient rassis pour les observer.

Le lendemain matin, les enfants trouvèrent des chocolats dans leurs sabots, ainsi que deux oranges et des papillotes. Ils s'en régalèrent jusqu'à midi, puis Élie voulut quitter ses sabots qui le blessaient.

– Non ! dit Victoria, qui se rappelait la réflexion de l'Allemand : « Les enfants juifs ne savent pas porter des sabots. » Il faut que tu t'habitues, comme l'a fait Sarah.

Il obéit, serra les dents, ne les quitta plus, sinon au moment d'aller se coucher, les laissant en bas de l'escalier comme des preuves incontestables d'une identité paysanne qui les rassurait tous les quatre. Il fit très froid jusqu'au 1er janvier, qu'ils fêtèrent en s'efforçant de ne pas songer à ce que leur réservait cette année 1943 qui commençait dans les frimas et un vent du nord aux lames acérées, coupant comme du verre.

Troisième partie

8

UN printemps précoce, auréolé de magnifiques journées qui avaient fait croire à la fin de l'hiver dès février, avait passé sans autre incident ni perquisition. Il semblait, au contraire, que depuis la reconnaissance « de jure » de l'abolition de la ligne par les Allemands, en mars 1943, les conditions de vie s'étaient améliorées : désormais, la libre circulation des personnes et des marchandises était devenue effective, et l'on avait fini par s'habituer, ou presque, à la présence des uniformes de la Wehrmacht et de la Gestapo. En tout cas en ville, où les gens les croisaient tous les jours, un peu moins à la campagne, où ils étaient plus rares et où leur apparition était toujours présage de danger immédiat.

Avec les beaux jours, il était de plus en plus difficile d'interdire aux enfants de sortir, bien que le Dr Dujaric recommandât toujours la vigilance. Mais il faisait si bon qu'ils s'échappaient dès que Virgile ou Victoria avaient le dos tourné, oubliant les risques, obéissant seulement à cette soif de vivre, de courir, d'aller et venir, si naturelle à leur âge. Victoria se rassurait en songeant qu'ils étaient vêtus comme des petits paysans, leurs sabots aux pieds, et que les vacances scolaires justifiaient la présence d'enfants censés être ceux de Marie, sa sœur, mais elle n'oubliait pas ce qui s'était passé en décembre, et elle ne cessait de surveiller la route par où pouvait surgir le danger.

À la fin juin, pour plus de sécurité, le Dr Dujaric avait suggéré de faire baptiser les petits par le curé de Monestier qui avait déjà effectué plusieurs baptêmes d'enfants juifs, car il participait à la Résistance et s'était désolidarisé des positions de son évêché, mais Sarah s'y était farouchement refusée.

– Ça n'a pas d'importance, avait plaidé Victoria. C'est simplement pour avoir un certificat. Tu retrouveras ta religion après la guerre, quand il n'y aura plus de danger.

Sarah n'avait pas cédé, et on avait fini par y renoncer. L'été s'était épuisé en chaleurs lourdes à peine dissipées par les orages d'août, puis septembre avait vu s'écouler les derniers jours de liberté relative pour les deux enfants, car la rentrée des classes approchait et ils étaient supposés, comme tous les petits vacanciers, regagner leur famille et fréquenter l'école.

Pendant les mois qui s'étaient écoulés, Sarah s'était beaucoup inquiétée pour ses parents, mais

Fanny, qui venait régulièrement à la Sauvénie, lui avait donné des nouvelles faussement rassurantes : la tension qui avait suivi l'invasion de la zone sud était un peu retombée. En réalité, les parents de Sarah avaient de peu échappé aux rafles de la fin février, et ils avaient gagné la Côte d'Azur, où, croyaient-ils, les Italiens, qui l'occupaient, manifestaient moins d'hostilité envers les juifs que les Allemands.

Fanny n'avait pas voulu informer Sarah de ce départ, mais elle se trouvait maintenant devant une situation intenable, car Sarah exigeait de les voir. Victoria avait beau voler au secours de Fanny, la petite menaçait de s'enfuir à Périgueux et d'emmener Élie, qui se montrait solidaire avec elle.

– On me cache la vérité, prétendait Sarah. Je sais qu'ils sont en danger. Je veux les voir !

Victoria avait insisté auprès de Fanny qui avait promis de révéler la vérité à Sarah lors de sa prochaine visite, mais la petite ne leur en laissa pas le temps. Un matin du début octobre, elle disparut, emmenant Élie comme elle l'avait annoncé, tandis que Victoria s'occupait de Blondine, dans l'étable, et que Virgile travaillait à l'atelier.

Quand Victoria entra dans la maison pour réveiller les enfants, elle aperçut du palier les portes ouvertes des chambres et faillit tomber sous le coup de l'émotion en comprenant ce qui s'était passé. D'abord, elle courut vers la route en espérant les rattraper, mais son cœur cognait tellement qu'elle dut s'arrêter et renoncer à les poursuivre. Quelle folie ! Elle en voulut à Fanny, mais celle-ci n'avait fait que suivre les instructions des parents de Sarah, qui la croyaient davantage en sécurité en Dordogne qu'avec eux. Que faire ? Prévenir d'abord Virgile, puis Dujaric, qui, avec sa voiture, pourrait peut-être les retrouver avant qu'il ne soit trop tard.

Pour aller plus vite, elle se rendit à l'atelier à bicyclette, demanda à son mari de partir sur la route départementale qui longeait la rivière, pendant qu'elle-même se rendait à Monestier, afin de prévenir le médecin. Il était déjà dix heures quand elle y arriva et elle ne l'y trouva pas. Il était parti s'occuper d'un accouchement dans un hameau sur la route de Saint-Barthélemy, et sa secrétaire ne savait à quelle heure il serait de retour. Victoria n'hésita pas : cinq kilomètres de plus ne lui faisaient pas peur. Heureusement, il faisait doux sur la petite route, l'automne ayant dissipé les grosses chaleurs de l'été.

Tout en pédalant, elle se reprit à pester contre Fanny, sans toutefois parvenir à lui en vouloir vraiment. Quant aux enfants, elle se sentait coupable, car elle aurait dû se méfier davantage : Sarah exerçait maintenant une véritable emprise sur Élie qui se sentait trop seul et avait trouvé dans cette « grande sœur » un soutien précieux. Victoria avait senti qu'ils lui échappaient mais elle n'avait pas cherché à les séparer. Elle en était bien incapable, même si elle feignait de s'en plaindre, parfois, à sa manière. Les deux enfants n'étaient pas dupes, et en riaient. Et de les voir rire suffisait au bonheur de Victoria, tout en la rassurant.

Quand elle arriva dans le hameau indiqué par la secrétaire du Dr Dujaric, elle se sentit soulagée en apercevant la Delage dans la cour d'une ferme, sur la gauche de la route. Elle se précipita à l'intérieur, trouva le médecin en train de se laver les mains, l'accouchement venant de se terminer. Elle lui expliqua brièvement ce qui se passait, et ils partirent dans sa grosse voiture, laissant la bicyclette de Victoria à la garde du fermier qui crut à un accident et regagna la chambre où l'attendaient sa femme et un fils.

Tout en roulant vers Monestier, Victoria donna au médecin les précisions dont elle disposait, si bien qu'il décida de prendre la nationale jusqu'à Mussidan, et, à partir de là, de revenir vers la Sauvénie par la petite route.

– Ils ne peuvent pas avoir couvert tant de kilomètres en si peu de temps, assura-t-il. On est sûrs de tomber sur eux.

– Sauf s'ils ont été arrêtés, dit Victoria.

– Mais non, la rassura-t-il. Ils connaissent les risques et ils sont habillés comme des petits paysans.

Ils ne dirent plus un mot jusqu'à Mussidan, sinon pour convenir de convaincre Fanny de parler à

Sarah le plus tôt possible. Cette situation ne pouvait pas durer.

Ils atteignirent la ville en moins d'une demi-heure, puis ils franchirent le pont sur la rivière et prirent à gauche pour revenir vers Monestier. La route départementale, plus étroite, était escortée de fermes sur sa droite, entre la rivière et les collines. Il n'y avait pas grande circulation, à part quelques charrettes, et pas le moindre uniforme à l'horizon. Dujaric roulait doucement, afin d'inspecter du regard à la fois le versant des collines et, de l'autre côté, les berges de la rivière le plus souvent dissimulées derrière un rideau de frênes et de peupliers. À plusieurs reprises il quitta la route pour prendre un chemin de terre vers le coteau ou, à l'opposé, vers un bosquet isolé entre deux fermes, mais aucun enfant n'apparut.

– Où donc ont-ils bien pu passer ? maugréa Victoria.

Le médecin ne répondit pas. Il roulait maintenant de moins en moins vite, s'arrêtait souvent, se montrait de plus en plus inquiet. Au bout d'un quart d'heure, ils aperçurent Virgile sur sa bicyclette qui arrivait face à eux. Il n'avait rien vu, rien trouvé.

– Mais où sont-ils passés ? répéta Victoria, sans parvenir à dissimuler sa colère et sa peur.

– Ils doivent longer la rivière par les prés, suggéra Virgile. La petite sait que l'Isle passe à Périgueux, elle l'a vue là-bas. C'est le seul moyen pour eux de ne pas se perdre.

– Vous avez raison, approuva le médecin, mais dans ce cas ma voiture ne vous est d'aucune utilité. Le mieux, pour vous, Virgile, est d'aller jusqu'à Mussidan, d'y laisser votre bicyclette et de revenir à pied par la rive droite. Quant à vous, Victoria, je vais vous ramener un peu plus bas et vous remonterez sur la rive gauche. Ça m'étonnerait que vous ne les trouviez pas.

Il ajouta, soudain plus optimiste :

– Je repasserai en fin d'après-midi. Je klaxonnerai pour que vous m'entendiez.

Virgile s'éloigna, pédalant le plus vite possible sur la départementale, et le médecin laissa Victoria cinq kilomètres en aval du lieu où ils se trouvaient. Une fois seule, elle se mit à longer la rivière dont l'eau, heureusement, lui parut basse, ce qui la rassura, car si Sarah savait nager, ce n'était pas le cas d'Élie. Repoussant cette idée, elle avançait sur le chemin de rive – une sente, en fait, à peine dessinée – et le quittait chaque fois qu'elle apercevait sur sa droite une grange ou une cabane où auraient pu se réfugier les enfants.

Elle commençait à ressentir la faim et songeait que Sarah et Élie devaient aussi avoir l'estomac creux, sauf s'ils avaient emporté un peu de pain et de fromage. Elle faisait confiance à Sarah à ce sujet : puisqu'elle projetait cette fugue depuis longtemps, elle avait dû se montrer prévoyante. Victoria continua d'avancer, mais de plus en plus lentement à cause de la fatigue, si bien qu'elle rencontra Virgile, qui n'avait rien trouvé et apparut découragé, vers six heures du soir. Désemparés, ils regagnèrent la route sans un mot, et ils attendirent le passage de Dujaric en s'asseyant sur une murette, sous l'abri d'un chêne, car il pleuvait, maintenant, et il commençait à faire froid.

Le médecin arriva seulement à sept heures, s'excusa de son retard, leur proposa de les ramener pour qu'ils puissent se reposer et surtout se restaurer.

– Je continuerai à les chercher en voiture toute la nuit s'il le faut, ajouta-t-il. De toute façon, j'ai encore des visites dans le coin.

Ainsi fut fait. À bout de forces, frigorifiés, Virgile et Victoria regagnèrent la Sauvénie avec un ultime espoir en eux : celui de retrouver les enfants, qui auraient renoncé à leur fugue, devant la maison. Mais non : personne ne les attendait sur le banc, dans la nuit tombante, et il leur fallut se résigner à refermer la porte derrière eux.

Ils dînèrent rapidement, silencieux, incapables de formuler leurs craintes de plus en plus précises à mesure que le temps passait.

– Ils ne peuvent pas être bien loin, murmura seulement Victoria, au moment d'aller se coucher.

Virgile ne répondit pas. Au poids de l'absence des deux enfants, il mesurait l'importance qu'ils avaient pris dans leur vie, mais il n'y avait là rien que Victoria ne sût déjà.

– Allons ! Ils seront là demain ! dit-elle encore avant d'entrer dans le lit.

– Oui, fit Virgile. Le mieux est d'essayer de dormir.

Ils en furent bien incapables. Chaque fois qu'ils fermaient les yeux, c'était pour voir Sarah et Élie emmenés par des uniformes noirs, les appelant et tendant leurs mains vers eux qui les regardaient s'éloigner, impuissants. Victoria avait laissé la fenêtre entrebâillée pour entendre la voiture du médecin au cas où elle arriverait. Mais seul le vent qui s'était levé vint troubler le silence, annonçant les grands mouvements d'air du changement de saison. Ce fut donc une nuit interminable, de plus en plus chargée d'angoisse à mesure que les heures passaient et que l'échec des recherches du médecin devenait évident.

Il n'arriva qu'à six heures du matin, épuisé, découragé aussi.

– Je vais aller dormir une heure ou deux, dit-il, et puis j'irai prévenir Fanny à Périgueux. Gardons encore espoir : ils ont peut-être réussi dans leur entreprise, qui sait ?

– Espérons ! fit Victoria.

Il partit, les laissant seuls de nouveau, sans même une bicyclette pour reprendre leurs recherches, car l'une se trouvait à Mussidan et l'autre à Saint-Barthélemy. Il s'occupèrent à leur travail quotidien afin d'oublier ce qui les obsédait, mais ils eurent vite fait d'accomplir leurs tâches et Victoria manifesta l'intention de repartir à pied.

– Tu resteras là pour attendre, dit-elle à Virgile. On ne sait jamais.

– Ça ne sert à rien de repartir, observa-t-il. Tu ne pourras pas aller plus loin qu'hier.

– Il faut que je fasse quelque chose. Je ne peux pas rester comme ça, c'est plus fort que moi.

Victoria repartit donc, sous un pâle soleil qui perçait à peine les nuages chargés de pluie, et Virgile, incapable de travailler, s'assit sur le banc de pierre, devant la maison. De longues minutes passèrent, lui laissant imaginer le pire, au point de le contraindre à quitter son siège et à s'occuper dans la grange à réparer des outils.

Il bricolait depuis près d'une heure quand il entendit le hennissement d'un cheval dans la cour. À peine apparut-il que Sarah et Élie se précipitaient vers lui, l'enserraient de leurs bras, en pleurs, comme s'ils avaient beaucoup à se faire pardonner.

Un homme vêtu de velours noir, un large chapeau sur la tête, les sourcils très épais, s'approcha et demanda :

– Ils sont à vous ?

– Oui, dit Virgile, n'osant croire à ce qui se passait.

– On les a trouvés perdus dans la forêt à la tombée de la nuit. Il était trop tard pour les ramener. Je les ai fait dormir chez moi et nous sommes partis ce matin de bonne heure.

– Je vous remercie.

– Y'a pas de quoi, allez ! Mais je me demande bien ce qu'ils faisaient si loin de chez vous.

– Moi aussi, je me le demande, fit Virgile, qui ajouta aussitôt, désirant changer de sujet : Vous boirez bien un verre avant de repartir ?

– C'est pas de refus, dit l'homme.

Virgile précéda le forestier jusque dans la maison vers laquelle Élie et Sarah s'étaient précipités, comme pour se cacher. Tout en versant un verre d'eau-de-vie à son hôte, Virgile les entendait parler, là-haut, dans leur chambre, comme le forestier, qui remarqua :

– Ils sont un peu bizarres, vos enfants.

– Ce sont les enfants de ma belle-sœur, répondit Virgile. On les a pris chez nous parce qu'elle est malade, mais ils ont du mal à s'habituer.

Cette explication parut plausible au forestier, qui se découvrit rapidement une relation commune avec son hôte : il connaissait Baptiste Vézillou, l'homme à qui Virgile achetait du bois près de Saint-Michel-du-Double. La conversation prit un cours normal, à la grande satisfaction de Virgile, bien qu'il eût hâte de se retrouver seul avec Sarah et Élie pour savoir ce qui s'était passé. Enfin, au bout d'une demi-heure, l'homme repartit et Virgile put appeler les enfants, obtenir les réponses aux questions qu'il se posait depuis un jour et une nuit.

À son retour, Victoria, épuisée, avait levé les bras au ciel, s'était indignée, mais le soulagement l'avait rapidement emporté sur la colère, d'autant que Sarah avait raconté comment ils avaient de justesse échappé à une voiture de gendarmes en se réfugiant dans la forêt. Ils avaient eu tellement peur qu'ils s'y étaient enfoncés de plus en plus et ils s'étaient perdus. Heureusement, un bûcheron les avait rencontrés et conduits à son patron, le forestier qui les avait abrités pour la nuit et ramenés au matin. Après une heure de reproches, bientôt relayés par ceux de Dujaric, les larmes de Sarah et d'Élie avaient fini par apaiser la situation. Sarah avait promis de ne pas recommencer d'autant plus facilement que Fanny devait venir dès l'après-midi, mais cette fugue avait ébranlé Victoria qui avait mesuré à quel point ces deux enfants étaient capables de toutes les folies.

Alors que, face à elle, ils bafouillaient des excuses, elle les observait comme si elle les découvrait vraiment : Sarah, ses yeux verts où passaient des éclairs de souffrance et de détermination, un peu plus grande qu'à son arrivée, amaigrie, ses cheveux longs sur ses épaules, un air d'en vouloir au monde entier à cause de ce qu'elle vivait ; Élie, ses cheveux noirs, crépus, soulignant la gravité de son visage étroit, son regard portant toujours la trace du drame auquel il avait assisté, mais prêt à tout, lui aussi, pour se défendre, se sauver, lutter contre l'adversité.

Victoria, malgré tout ce qu'elle avait fait pour eux, tout ce qu'elle leur avait donné, les découvrait, ce jour-là, étrangers, et en souffrait. Mais elle n'était pas femme à se résigner, au contraire :

– Vous me faites des drôles de garnements ! conclut-elle. Dorénavant, je vous attacherai.

L'arrivée de Fanny, vers quatre heures, ne simplifia pas la situation : obligée d'avouer à Sarah que ses parents étaient partis se réfugier sur la Côte d'Azur, elle provoqua une réaction violente de la petite qui prit très mal cet éloignement. Fanny eut beau plaider, insister sur le fait qu'ils pensaient que leur fille était plus en sécurité à la Sauvénie que n'importe où ailleurs, la petite prononça le mot d'abandon, et partit pleurer dans sa chambre, bientôt rejointe par Élie, toujours aussi solidaire.

– Je ne sais plus quoi faire, confia Fanny, désemparée, à Victoria. Je leur avais pourtant dit qu'ils feraient mieux d'emmener leur fille avec eux.

– Ne vous inquiétez pas, fit Victoria, elle finira bien par l'accepter.

– Je l'espère, mais ça ne va pas être facile pour vous.

– Après ce qu'on vient de vivre, vous savez, ça ne pourra pas être pire. L'important, c'est qu'elle soit en sécurité.

– Vous avez raison, concéda Fanny.

Et, comme Victoria s'inquiétait de nouvelles rafles, Fanny la rassura : il n'en était pas question pour le moment. Ce qui la préoccupait davantage, c'était de posséder des listes d'israélites secourus officiellement par son organisation, listes dont les autorités françaises ou allemandes pouvaient s'emparer à tout instant.

– Des centaines de noms, avec les adresses correspondantes, ajouta Fanny, et tous ne possèdent pas une fausse carte d'identité.

C'était évidemment là un problème dont la gravité dépassait Virgile et Victoria. Fanny n'insista pas : ses hôtes avaient suffisamment de soucis avec Élie et Sarah.

– Je ne crois pas qu'elle fuguera de nouveau, leur dit-elle avant de monter dans sa voiture.

– Mais non, ne vous inquiétez pas, répondit Victoria. Nous allons y veiller.

Les jours qui succédèrent à ces événements ne furent pourtant pas de tout repos. Afin de distendre un peu le lien qui s'était noué entre les deux enfants, ils décidèrent que Virgile emmènerait Élie avec lui à l'atelier, et que Sarah resterait à la maison. Alors, profitant de cette nouvelle intimité, Victoria, à sa manière, entreprit de raisonner la petite avec les seuls arguments qu'elle possédait, ceux venus de son cœur :

– Tu ne voudrais pas me laisser seule avec Virgile, dis ?

– Tu ne risques rien, toi, alors que mes parents sont en danger.

– Ils ne sont plus en danger où ils se trouvent aujourd'hui.

– Si c'est vrai, pourquoi ne m'ont-ils pas emmenée avec eux ?

À bout d'arguments, Victoria lâcha :

– Tu vas me faire devenir chèvre, tiens !

Ces expressions tellement imagées et qui n'appartenaient qu'à elle faisaient sourire Sarah qui, pour quelques minutes, oubliait ses parents, mais très vite, elle posait de nouvelles questions auxquelles Victoria était bien incapable de répondre :

– C'est loin, la Côte d'Azur ?

– Est-ce que je sais, moi ? soupirait Victoria.

– Pourquoi il n'y a pas d'Allemands là-bas ?

– Parce qu'il y a des Italiens. Tu as entendu le Dr Dujaric : il nous l'a dit l'autre jour.

– S'ils ne s'occupent pas des juifs, les Italiens, pourquoi mes parents ne m'ont pas emmenée avec eux ?

Il n'y avait rien à faire : Sarah retombait toujours sur la même question et Victoria s'indignait :

– Tu as juré de me rendre folle ! Tu n'es pas bien ici ? Je ne m'occupe pas assez de toi ?

La petite secouait la tête, ne répondait pas. Un jour, elle se planta devant Victoria et demanda :

– Qu'est-ce que ça veux dire, circoncis ?

– Oh ! bonté divine ! s'écria Victoria, où es-tu allée chercher ça ?

– C'est Élie qui m'a dit qu'il était circoncis, comme tous les enfants juifs.

Victoria, affolée, ne put répondre, sinon en biaisant :

– S'il t'a dit ça, il doit être aussi capable de te l'expliquer.

– Bien sûr, mais toi, qu'est-ce que tu en penses ?

– Et qu'est-ce que tu veux que j'en pense ? Tu sais bien que je ne connais rien à vos coutumes. La preuve, tu te plains toujours que je te fais manger ce qu'il ne faut pas.

– Non. Plus maintenant.

– Ah ! tout de même !

– Je sais bien que tu fais tout ce que tu peux pour nous.

Et Sarah ajouta, mutine :

– Qu'est-ce qu'on deviendrait sans toi ?

Malgré ces marques d'affection, elle exigea de ne plus être séparée d'Élie pendant la journée.

– Je t'ai promis qu'on ne repartirait pas, plaida-t-elle. Tu n'as pas le droit de nous séparer.

– Virgile lui apprend le métier, répondait Victoria. Tu ne peux pas devenir menuisier, toi. Alors ?

– Je ne peux pas devenir menuisier, mais je veux Élie près de moi. J'ai besoin de lui.

Victoria finit par céder et la vie reprit comme avant la fugue des deux enfants, vie recluse, secrète, mais que la proximité de l'hiver rendait rassurante, comme définitivement protégée des menaces du monde extérieur.

Cette période coïncida avec une reprise des activités clandestines de Virgile, qui avait répondu favorablement à une nouvelle demande d'aide formulée par le médecin. Il ne s'agissait plus de passer des passagers de la zone occupée vers la zone libre, mais d'assurer la liaison entre les réfractaires et les résistants installés dans la forêt de la Double, au-dessus de Reillac. Le STO avait en effet rallié aux premiers mouvements de Résistance de nombreux jeunes hommes qui refusaient de partir en Allemagne ou qui désertaient les chantiers de jeunesse. En raison de ses responsabilités dans la clandestinité depuis le début, le Dr Dujaric était naturellement devenu l'un des chefs du réseau « Combat » dans la région, poursuivant ainsi la lutte entreprise contre l'occupant dès 1941.

Et, pour la première fois, Virgilc avait dit « oui » sans en référer à Victoria. De son arrestation et de son interrogatoire, il conservait la sensation d'une humiliation qu'il ne pouvait accepter. Cette violence subie lui était intolérable. Il n'aurait pu s'y soumettre sans accepter en même temps de s'être trompé sur le sens de la vie, sa manière de comprendre le monde et d'exister. Tout cela n'était pas clairement défini dans son esprit, mais l'expression d'un refus de ce qu'il avait vécu passait forcément par la lutte contre cet ordre insupportable auquel il s'était heurté et qui l'avait profondément meurtri.

Finalement, les missions n'étaient pas très différentes de celles consacrées aux passagers clandestins. Il s'agissait de conduire de nuit les réfractaires vers le maquis Armée secrète qui s'était établi à quelques kilomètres de Saint-Michel-du-Double, en plein cœur de la forêt. Virgile servait en même temps d'agent de liaison en remettant des messages que le médecin lui confiait. Plus que de la Gestapo, qui sévissait surtout en ville, il fallait se méfier des GMR : les Groupes mobiles de réserve que Vichy avait mis sur pied pour lutter contre ceux qu'on appelait « les terroristes ».

Victoria n'avait pu s'opposer à la décision de Virgile, d'autant que le médecin lui avait démontré que lutter contre les Allemands était le seul moyen de mettre un jour fin au péril qui menaçait les deux enfants dont elle avait la garde. Il prétendait aussi que les résistants allaient attirer l'attention des Allemands et leur faire oublier les juifs, ce qui se révéla exact dès la fin de cet automne 43. Des maquis avaient été attaqués à Mavaleix et Vieillecour par les GMR, mais ces attaques n'avaient fait qu'amplifier le mécontentement de la population et le recrutement des réseaux clandestins.

C'est ainsi qu'un soir de novembre Virgile se mit

en route vers Reillac et attendit les deux jeunes hommes qu'il devait prendre en charge dans une grange qui se trouvait sur la droite, à la lisière de la forêt. Ils arrivèrent exactement à minuit comme convenu, lui donnèrent aussitôt le mot de passe, puis ils partirent sur la petite route qui montait vers Saint-Michel. Ce n'était pas très dangereux : à la moindre alerte, il suffisait de sauter par-dessus le talus et de s'enfoncer dans les bois très épais pour disparaître. Mais cette nuit-là, la destination avait changé : ce n'était plus une clairière, située à gauche de la route, à un kilomètre, comme lors des deux précédentes missions, mais une maison à l'écart, deux kilomètres plus au nord, en direction de Saint-Michel.

Virgile sentait son appréhension grandir devant l'inconnu et cherchait à se souvenir des paroles du médecin : « Une lampe sera allumée à deux heures précises. Elle le restera pendant dix minutes, pas davantage. Si vous n'apercevez pas de lumière, vous ferez demi-tour et ramènerez les deux hommes où vous les aurez trouvés. Ne vous inquiétez pas : on voit la lumière de la route. »

Il marchait rapidement, soucieux, comme chaque fois, d'être redescendu avant le jour, et il entendait le pas des deux hommes qui se hâtaient derrière lui. La maison se trouvait à cinq cents mètres d'un carrefour qui desservait deux hameaux. Dès qu'il l'eut dépassé, Virgile consulta une nouvelle fois sa montre : deux heures moins le quart. Il ralentit le pas, parcourut au jugé la distance nécessaire puis il s'arrêta et distingua une sorte de clairière sur sa droite.

– On attend là, dit-il aux deux réfractaires qui s'arrêtèrent sans lui poser de questions.

Puis il fit quelques pas sur la route, allant et venant, mais sans s'éloigner de l'espace libre qui semblait s'ouvrir entre les arbres. Dix minutes plus tard, une lampe s'alluma à une centaine de mètres.

– Allons-y ! dit Virgile.

Ils trouvèrent facilement le chemin de terre qui menait vers la maison dont on distinguait vaguement la masse, plus claire que les arbres. Tout semblait calme aux alentours, comme bercé par le léger vent de nuit qui s'était levé et faisait osciller la cime des pins et des chênes. Une fois devant la bâtisse, qui paraissait maintenant imposante, très différente des fermes basses, à un étage, de la forêt, Virgile frappa quatre coups et la porte s'ouvrit sur un homme qu'il reconnut aussitôt grâce à ses sourcils très épais : c'était le forestier qui lui avait ramené Sarah et Élie lors de leur fugue. Il eut comme un sursaut, eut du mal à faire le lien entre cette mission et les enfants, mais dès qu'il eut donné le mot de passe et qu'il fut entré dans un vaste salon aux meubles massifs, cossus, l'homme, qui l'avait reconnu également, lui dit :

– Ne soyez pas étonné. Nous ne sommes pas si nombreux à partager les mêmes idées.

Et il ajouta, se voulant rassurant :

– Vos enfants ont eu de la chance de tomber sur moi. J'ai tout de suite compris à qui j'avais affaire. Quant à vous, je vous ai tendu la perche en vous disant qu'ils étaient bizarres, ces petits, mais vous êtes resté prudent et vous avez eu raison. On ne prend jamais assez de précautions.

Virgile remercia, accepta le verre d'eau-de-vie que le forestier lui proposa, puis il s'en alla, soucieux de rentrer avant le jour. Cette nuit-là, il ne se sentit pas en danger, ni lui, ni Victoria, ni les enfants. Il avait l'impression que tout n'était pas hostile autour d'eux : il existait des gens à qui on pouvait faire confiance. Et quand il raconta ce qui s'était passé dans la forêt à sa femme, il comprit qu'elle en était rassérénée elle aussi.

S'ils avaient renoncé à élever un cochon comme ils l'avaient toujours fait, puisque Sarah et Élie – qui l'imitait maintenant en toute chose – refusaient d'en manger, Victoria, malgré les reproches de la fillette, continuait à gaver des canards. Elle s'en cachait, veillait à bien refermer la porte de la grange derrière elle, mais elle fuyait le regard de la petite quand elle regagnait la maison. Et, pour éviter les questions, elle faisait asseoir les enfants à table pendant qu'elle préparait le repas du soir et leur racontait les légendes de l'ancien temps, avec un talent qui les laissait pantois sur leur banc, fascinés par ces récits si différents de ceux qu'ils avaient l'habitude d'entendre dans leurs familles.

Quand elle leur parlait du « Lébérou », cet homme-loup, vêtu d'une peau de bête, qui semait la terreur dans les campagnes la nuit, Virgile en rajoutait, feignant d'être plus effrayé qu'eux, puis il prenait le relais, contant les méfaits de la chasse volante, des fées, des feux follets, des bêtes qui parlent.

– Des bêtes qui parlent ? s'étonnait Sarah.

– Parfaitement. J'en ai croisé une, il y a longtemps, en revenant de Mussidan, la nuit. Elle ressemblait à une vache mais elle avait le corps recouvert de plumes et portait des cornes de bouc.

– Et elle t'a parlé ?

– Bien sûr qu'elle m'a parlé, mais je ne peux pas dire de quoi. C'est interdit, on n'a pas le droit.

– Pourquoi ?

– Parce que c'est un secret, disait Victoria.

Et les enfants, médusés, oubliaient tout ce qui était étranger à ces histoires, à ces superstitions qui les transportaient dans un univers magique et fascinant.

Vers le 15 décembre, Victoria eut l'imprudence de parler des « tornes », ces âmes errantes du village qui, prétendait-on, revenaient la nuit de Noël sous l'apparence de lavandières dont on pouvait entendre claquer les battoirs. Devant l'air épouvanté d'Élie, elle comprit qu'elle était allée trop loin quand il demanda :

– Est-ce que je pourrai entendre aussi les âmes de mes parents pendant la nuit de Noël ?

Il se fit un silence terrible dans la cuisine, que ni Victoria ni Virgile ne purent rompre aussi vite qu'ils l'auraient souhaité.

– Je ne crois pas, dit enfin Victoria. Ce sont les âmes disparues depuis très longtemps.

Et, comme Élie s'apprêtait à poser une nouvelle question :

– Venez donc m'aider, on va faire des merveilles.

– Des merveilles ! s'exclama Sarah. Tu sais faire des merveilles ?

– Bien sûr, fit Victoria, qui pensait aux beignets qu'elle avait l'habitude de confectionner alors que la petite imaginait tout autre chose.

Quand Victoria se mit à pétrir la pâte, Sarah en fut désappointée mais ne le manifesta pas, et, au contraire, aida Victoria à répandre le sucre avant de faire frire les beignets, non sans les avoir parfumés à la fleur d'acacia.

– C'était donc cela, tes merveilles ? demanda Sarah.

– Tu en verras bien d'autres ! répondit Victoria, car cette année, c'est décidé : nous irons à la messe de minuit, non pas à Monestier mais à Reillac.

Virgile, qui pensait aux risques encourus, voulut en faire la remarque, mais Victoria ne lui en laissa pas le temps :

– Quoi ? fit-elle, on va pas s'arrêter de vivre, non ? Nous n'y sommes pas allés l'an passé. Ça suffit.

Elle ajouta, péremptoire :

– Je suis sûre que c'est la seule nuit où l'on ne risque rien.

Virgile haussa les épaules d'un air résigné et ne répondit pas. À partir de ce soir-là, la décision ayant été prise, Victoria ne cessa d'en parler aux enfants, si bien qu'ils se mirent à attendre Noël avec impatience. Virgile avait coupé un petit genévrier qu'ils avaient décoré avec des rubans et du coton censé imiter des flocons de neige, et ils l'avaient installé à droite de la cheminée où la bûche soigneusement choisie par Virgile ne devait pas s'éteindre avant leur retour. La coutume voulait que ce fût un billot de bois très dur qui devait brûler longtemps et générer des braises pour le lever du 25. Virgile l'avait choisi en noyer et l'avait mis à sécher depuis plusieurs semaines. Victoria avait jeté une poignée de gros sel avant de l'allumer et avait expliqué aux enfants qu'elle disperserait des cendres dans l'étable et dans le poulailler, car elles étaient censées protéger des maladies et de la foudre.

Enfin, après avoir veillé en jouant aux cartes et en racontant des histoires dont les enfants ne savaient si Victoria les inventait ou si elle les avait elle-même entendues pendant son enfance, ils partirent en direction de Reillac, dans l'ombre que le gel semblait figer dans sa main d'acier. C'était une nuit extraordinaire : grâce à la lune et aux étoiles qui paraissaient toutes proches, on avait l'impression d'y voir comme en plein jour. Le vent du nord lustrait les champs et les prés, qui étincelaient comme un lac pris par les glaces.

Victoria s'était emparée de la main d'Élie tandis que Virgile et Sarah marchaient derrière eux, sans un mot, attentifs à cette nuit où l'on sentait que tout pouvait arriver. Tout, mais rien qui fût hostile, au contraire : on devinait que les cloches qui appelaient là-bas invitaient à des réjouissances que rien ne pourrait troubler. Ce fut donc sans aucune appréhension qu'ils arrivèrent à Reillac après plus d'une heure de marche, et qu'ils pénétrèrent dans l'église illuminée de tous ses ors et ses lustres. Elle était presque pleine et ils se faufilèrent le long d'un banc à l'avant-dernier rang, tandis que les premiers chants montaient sous les voûtes.

Tout de suite, Sarah et Élie furent sous le charme. Ils ne bougeaient pas, paraissaient ne plus respirer. Se tournant vers Sarah, Victoria constata qu'elle fermait les yeux et elle crut que la petite se recueillait alors qu'elle se refusait à regarder les statues, comme le lui interdisait sa religion. Mais elle la surprit à chanter, puis à participer aux répons, et Victoria s'en réjouit. Quelques regards s'étaient posés sur eux à leur arrivée, mais ils s'étaient rapidement détournés, et les fidèles ne s'intéressaient plus à eux, car les prières et les chants requéraient toute leur attention.

La messe dura plus d'une heure, et rien ne vint troubler la paix de cette nuit où tous les hommes et les femmes présents, semblait-il, avaient oublié la guerre. À la fin, toutefois, alors qu'ils sortaient en tenant les enfants par la main, Victoria et Virgile croisèrent le regard d'un homme en costume de ville et chapeau mou qui se trouvait à droite de la porte. Ils ne s'attardèrent pas et disparurent dans l'obscurité où, bientôt, la neige se mit à tomber, rendant cette nuit plus magique encore, au moins pour les enfants qui levaient leur visage ébloui vers le ciel, tentaient d'attraper les flocons qui tourbillonnaient dans l'ombre, l'éclairant mystérieusement.

Victoria ne put s'empêcher de demander à Virgile s'il avait remarqué l'homme au costume de ville à la porte de l'église.

– Bien sûr, répondit-il.

Elle se retourna plusieurs fois, s'arrêta même un instant pour écouter la nuit, vérifier qu'on ne les suivait pas. Mais non : tout était calme, et aucun pas, nulle silhouette ne se manifestait derrière eux. Elle en fut rassurée tout le temps du trajet, mais une fois couchée, elle reparla de l'homme à Virgile qui, elle finit par le comprendre, était aussi inquiet qu'elle.

– Demain, fit-elle, il faudra empêcher les enfants de sortir.

– Tu as raison. Au moins pendant quelques jours, le temps de voir si cet homme ne s'est pas renseigné sur notre compte.

Ils eurent du mal à trouver le sommeil et, comme ils se l'étaient promis, dès le matin ils surveillèrent à tour de rôle la route d'où pouvait survenir le danger.

9

PASSÉ Noël, la neige virevolta jusqu'à la Saint-Sylvestre, puis le premier de l'an 1944 vit le soleil revenir, apportant un froid sec qui figea les dernières plaques de neige à la lisière des haies, dans les zones qui demeuraient à l'ombre tout le jour. L'inquiétude de Virgile et de Victoria n'était pas retombée, au point qu'ils s'en ouvrirent au Dr Dujaric, qui expliqua :

– Ils ont des agents de renseignements dans tous les villages. C'est pour cette raison que je vous avais conseillé de ne pas aller à Reillac.

– C'était pour les petits, plaida Victoria. Je voulais qu'ils assistent au moins une fois à une messe de minuit.

– Je sais, fit Dujaric, mais ce n'était pas prudent, d'autant que la présence des maquis dans la région rend les Boches fous.

C'était la première fois qu'il employait ce terme pour désigner les Allemands. Virgile et Victoria en furent étonnés, mais comprirent que le combat devenait encore plus périlleux qu'il n'avait jamais été. Après un quart d'heure de conversation au cours de laquelle le médecin leur dressa un tableau très noir de la situation, il s'en alla en leur recommandant d'être vraiment prudents et de garder les enfants à l'intérieur.

Ce ne fut pas très difficile car le froid devint mordant dès le début de février, et les rafales du vent du nord n'incitaient guère à sortir. Le matin, le gel emprisonnait les prés et les champs, et le soleil ne parvenait pas à le faire fondre, même au milieu du jour. Victoria, pourtant si robuste, tomba malade de la grippe, puis les enfants, qui avaient voulu demeurer auprès d'elle durant les deux jours où elle avait été contrainte de rester alitée, furent malades eux aussi. Seul Virgile y échappa. Il s'occupa de la cuisine et de se procurer les rares médicaments prescrits par le Dr Dujaric rappelé pour la circonstance.

Au cours de ses visites, le médecin se montra encore plus préoccupé qu'une semaine auparavant. Après avoir tergiversé pour ne pas les affoler, il finit par avouer qu'il craignait une opération contre les maquis de la forêt de la Double, et il se refusa à confier une nouvelle mission à Virgile, afin de ne pas l'exposer.

– Ces jeunes maquisards sont tellement inexpérimentés et imprudents, dit-il, que tout le monde est au courant de leur présence dans la région. Il ne m'étonnerait pas qu'ils soient vendus par quelqu'un de malintentionné, car il en existe, hélas, chez nous comme ailleurs.

Il n'avait pas tort : en mars, devant la propagation des actions de résistance en Périgord, l'état-major allemand décida d'envoyer depuis Paris une division placée sous les ordres du général Brehmer, laquelle prit ses quartiers à Périgueux et se mit aussitôt au travail. Le 26 au matin, elle entreprit une grande opération dans un triangle comprenant Montpon, Mussidan et Ribérac. Virgile et Victoria n'avaient pas eu le temps d'être mis au courant de ce qui se passait quand, au début de l'après-midi, juste après le repas, deux camions surgirent sur la route, heureusement aperçus par Virgile qui, à cet instant, regardait par la fenêtre.

Aussitôt, les enfants coururent se cacher dans l'abri du grenier, tandis que Victoria faisait disparaître les couverts, et Virgile tout ce qui pouvait trahir leur présence dans la cuisine et au bas des escaliers. À peine avaient-ils terminé que la porte s'ouvrit brusquement et que des soldats entrèrent en criant des ordres incompréhensibles et en brandissant leurs armes. Deux d'entre eux escaladèrent les marches, inspectèrent rapidement les chambres et redescendirent, au grand soulagement du couple.

– *Papiere ! Papiere !* hurla celui qui commandait : un officier coiffé d'un képi et aux épaulettes galonnées de rouge.

Il ne les examina même pas quand Victoria, les ayant pris dans le tiroir du buffet, les lui tendit d'une main qui tremblait un peu. Virgile se tenait près d'elle, comme pour la protéger, et il fit un pas dans la direction de l'officier, afin de se placer entre elle et lui dans une attitude touchante et dérisoire. Mais ils n'eurent pas le temps de parlementer et encore moins de comprendre ce qui se passait. Tous deux furent poussés au-dehors sans ménagement, puis contraints de monter dans un des camions où se trouvaient des hommes, des femmes et des enfants, qui, comme eux, avaient été raflés dans les fermes et les hameaux du voisinage.

Victoria ne tremblait plus : la pensée qu'Élie et Sarah avaient échappé aux Allemands la rassérénait alors que les prisonniers, près d'elle, au contraire, paraissaient effrayés. Virgile, lui, avait déjà eu affaire à l'occupant, et le fait, cette fois, de ne pas se trouver seul face aux hommes en armes le rassurait plutôt sur son sort. Il essayait de reconnaître parmi les prisonniers des visages d'hommes et de femmes de sa connaissance, et il y parvint, même si les regards se fuyaient, chacun se demandant à qui il devait cette arrestation violente et incompréhensible. À cette heure-là, en effet, nul ne savait encore qu'une opération de grande envergure avait été lancée dans toute la région par la division allemande venue spécialement de Paris.

Ils ne le comprirent que sur la place de

Monestier, quand tous les prisonniers se retrouvèrent rassemblés, les hommes d'un côté, les femmes et les enfants de l'autre. Victoria découvrit avec étonnement Rose près d'elle, qui lui prit le bras, et murmura :

– Qu'est-ce qu'ils nous veulent ?

Victoria la rassura de son mieux et se reprocha d'avoir douté d'elle comme elle avait douté d'Henri qu'elle apercevait là-bas, de l'autre côté de la place, près de Virgile. Il devait être deux heures, et le pâle soleil de mars ne parvenait pas à réchauffer ceux qui étaient partis précipitamment de chez eux, sans avoir le temps de prendre le moindre vêtement chaud. C'était à peine si les prisonniers osaient parler entre eux, car les soldats tenaient leur mitraillette pointée d'un air menaçant. Victoria avait l'impression qu'ils étaient capables de tirer au moindre mouvement suspect. Elle pensait à Élie et Sarah cachés dans le faux grenier aménagé par Virgile et se félicitait d'y avoir entreposé de la nourriture pour quelques jours, car il était impossible aux enfants de sortir par eux-mêmes.

Malgré la peur inscrite sur le visage de ses voisines, malgré Rose qui tremblait, elle n'était pas vraiment inquiète : son sort, en fait, lui importait peu. C'eût été bien différent si les enfants avaient été là, près d'elle, mais elle ne cessait de se répéter qu'ils ne risquaient rien à la Sauvénie. Elle était par ailleurs persuadée que les Allemands ne pouvaient pas faire disparaître tant d'hommes et de femmes réunis sur une place de village. Ce n'était jamais arrivé. C'était impossible.

Elle fut confortée dans sa pensée lorsque les soldats commencèrent à faire entrer à tour de rôle les femmes et les enfants dans la grande salle de la mairie. Elle comprit qu'il s'agissait d'un contrôle d'identité, quand certains ressortirent libres et que d'autres, au contraire, furent contraints de monter dans un camion. Tout allait très vite, comme si les Allemands se hâtaient de régler la question des femmes avant de passer aux hommes, parmi lesquels devaient se trouver des résistants. Peu avant d'entrer à son tour dans la mairie, Victoria aperçut une fumée noire qui s'élevait, là-bas, très loin, probablement au-dessus de la forêt de la Double, et elle repensa à ce qu'avait dit le Dr Dujaric au sujet des résistants. Dès lors, elle comprit que les Allemands recherchaient les maquisards et elle fut persuadée qu'elle ne risquait rien. Puis elle pensa à Virgile et un doute la saisit : s'il avait été aperçu lors des allées et venues dans la forêt ?

Elle n'eut pas le temps de s'appesantir sur la question, car elle dut s'avancer sur un ordre du soldat qui se trouvait à l'entrée de la mairie et, suivie de Rose, elle pénétra dans la salle où se trouvaient deux gradés allemands, le maire de Monestier et un milicien dans lequel, malgré son uniforme, elle reconnut l'homme qu'elle avait remarqué à la porte de l'église de Reillac, la nuit de Noël. Son cœur s'affola, mais elle s'efforça de ne pas trahir l'appréhension qui s'emparait d'elle en approchant de la table où l'officier allemand tendit une main en disant :

– *Papiere !*

Elle donna son laissez-passer de frontalière, sentant peser sur elle le regard du milicien, mais elle fit en sorte de ne pas le croiser. L'officier examina les documents, se tourna vers le maire et demanda :

– Laborie Victoria. Connaissez ?

– Oui, dit le maire, un homme dont ils recevaient régulièrement la visite, avant chaque élection, mais qu'ils ne fréquentaient guère. Elle et son mari sont des paysans. Ils habitent la Sauvénie, une ferme tout près d'ici.

– Communiste ?

– Non, je ne pense pas.

– Franc-maçon ?

– Ça m'étonnerait.

L'officier interpella le milicien qui fit un signe négatif de la tête. À cet instant, Victoria, malgré elle, croisa son regard, et elle sentit que l'homme cherchait dans sa mémoire à quel endroit et dans quelles circonstances il l'avait vue, mais, manifestement, il n'y parvenait pas. Elle revint vers l'officier qui, sans plus attendre, lui rendit ses papiers en disant :

– Vous pouvez aller.

Elle remercia de la tête, fit demi-tour, se trouva face à Rose qui, dans un geste de panique, voulut la retenir par le bras, mais Victoria ne s'arrêta pas et murmura seulement :

– N'aie pas peur. Je t'attends dehors.

Là, elle aperçut Virgile qui l'interrogeait du regard, et elle lui fit signe que tout allait bien. Puis elle fut chassée par deux soldats et passa dans la petite rue qui menait vers la nationale. Elle attendit quelques minutes, mais Rose n'apparut pas : elle avait dû sortir de l'autre côté. Victoria hésita alors sur la conduite à tenir : rester pour voir ce que les Allemands faisaient des hommes ou partir à la Sauvénie pour délivrer Élie et Sarah. Après beaucoup d'hésitations, elle choisit la seconde solution en se promettant de revenir au village dès qu'elle aurait rassuré les enfants.

Elle se hâta vers sa maison avec, en elle, une angoisse qui, maintenant, ne cessait de grandir à mesure qu'elle avançait : Élie et Sarah n'avaient-ils pas paniqué, brisé le panneau qui fermait leur refuge et ne s'étaient-ils pas enfuis ? Elle se mit à courir, sa main crispée sur sa poitrine douloureuse, ses jambes la portant à peine. Elle arriva à bout de souffle, ne prit même pas le temps de s'asseoir quelques instants, monta l'escalier, fit jouer fébrilement le panneau qui dissimulait le refuge, poussa un soupir de soulagement : Élie et Sarah se trouvaient bien là, dans leur cache sûre, et ils se précipitèrent dans ses bras dès qu'elle les eut délivrés. Ensuite, plutôt que de leur sort, ils se préoccupèrent de celui de Virgile. Victoria dut expliquer ce qui se passait, affirmer que les Allemands cherchaient d'abord les résistants et non pas les juifs. Ce n'était pas tout à fait vrai, mais elle avait besoin de les rassurer, ne pas ajouter aux événements du jour une préoccupation supplémentaire.

– Il va rentrer quand, Virgile ? demanda Élie.

– Avant ce soir, répondit-elle.

– C'est sûr ? insista Sarah.

– Mais oui. Ne vous inquiétez pas.

Cette affection que Victoria ressentait profondément lui faisait du bien, à cet instant, car elle n'était pas aussi optimiste qu'elle le prétendait sur le sort de Virgile. Elle tenta de faire diversion en donnant aux enfants leur goûter, s'assit auprès d'eux tandis qu'ils mangeaient, leur regard dardé sur elle qui s'efforçait de sourire.

Un peu plus tard, alors qu'elle essuyait les miettes sur la table, des coups de feu se firent entendre du côté du village.

– Qu'est-ce que c'est ? demanda Élie, affolé.

– Je ne sais pas, fit Victoria. Je vais aller voir.

– On vient avec toi ! dit Sarah en se levant d'un bond.

– Certainement pas !

Et, comme la petite insistait :

– Il y a des Allemands partout. Ils sont devenus fous.

Elle eut beaucoup de mal à les persuader de remonter dans le grenier. Il fallut qu'elle parlemente un long moment pour convaincre Sarah en lui assurant qu'elle serait de retour avant une heure. Puis elle se dépêcha de repartir vers Monestier, avec, en elle, la conviction qu'il s'était passé quelque chose de grave. Au départ elle courut, mais très vite le souffle lui manqua et elle se remit au pas. Un mauvais pressentiment la hantait, tandis qu'elle approchait du village sur lequel régnait maintenant un grand silence. Et ce silence accablant l'oppressa dès qu'elle atteignit les premières maisons.

Elle attendit pendant quelques minutes avant d'avancer vers le centre, s'y décida avec appréhension, son cœur cognant de plus en plus fort dans sa poitrine. Elle pénétra dans un étroit passage entre deux murs, mais dut faire demi-tour car il ne communiquait pas avec la place. Comme elle tournait à droite dans la rue, une porte s'ouvrit et une voix l'apostropha :

– Rentrez ! Ne restez pas là, malheureuse !

Elle connaissait de vue la personne qui lui avait ouvert, mais aurait été bien incapable de lui donner un nom. C'était une femme grande et forte, au chignon noir soigneusement maintenu par des peignes d'écaille, vêtue d'une robe à épaulettes comme on en portait en ville, aux grands yeux verts qui ne trahissaient pas la moindre peur, mais du courage, et même une sorte de colère indignée. Son logement donnait sur la place d'où, derrière les volets mi-clos, on pouvait voir ce qui se passait. Victoria la remercia et demanda aussitôt :

– Qu'est-ce que c'était, ces coups de feu ?

– Ils ont fusillé deux hommes, répondit la femme, sans émotion apparente.

– Quels hommes ? fit Victoria, à qui il sembla que son cœur venait de s'arrêter.

– Des juifs ou des résistants, sans doute.

En se penchant vers la gauche, Victoria, terrifiée, aperçut deux corps allongés dans une flaque rouge à l'extrémité de la place où les prisonniers, à présent, étaient moins nombreux. Elle chercha Virgile du regard, mais elle ne le vit pas. En revanche, elle aperçut Henri parmi ceux qui restaient encore debout en attendant d'être interrogés.

– Vous avez quelqu'un là-bas ? demanda son hôtesse.

– Mon mari.

– Vous le voyez ?

– Non.

Victoria changea d'angle de vue et, poussant un soupir de soulagement, elle reconnut enfin Virgile à l'autre extrémité de la place, en compagnie d'une dizaine d'hommes que les soldats dirigeaient vers un camion. À cet instant, Henri entra dans la mairie. Victoria se tourna vers la femme et, pétrifiée, demanda :

– Que vont-ils faire de ceux qui sont dans les camions ?

– Ne vous inquiétez pas, allez ! Ils vont sans doute les emmener à Périgueux pour les interroger et ils les relâcheront demain.

– Vous n'avez personne, vous, sur la place ?

– Non. Je suis veuve. Mon mari est mort dans les Ardennes en mai 1940.

Elle ajouta avec un soupir, tout en saisissant un verre et une bouteille de liqueur dans son buffet :

– Aujourd'hui je suis seule et je n'ai plus peur de rien.

Elle versa un fond de cordial à Victoria, le lui tendit et dit :

– Tenez, buvez ! Ça vous fera du bien.

Victoria remercia, but d'un trait, puis elle revint vers la fenêtre et aperçut Henri qui ressortait. Deux soldats le poussèrent vers le camion où attendait Virgile, et il y monta sans la moindre résistance, ce qui rassura Victoria sur le sort de son mari. À son avis, Henri n'aidait sûrement pas la Résistance, et s'ils se retrouvaient dans le même camion, cela signifiait que Virgile n'était pas soupçonné.

Comme elle détournait son regard du camion, elle vit avec stupeur une femme courir et reconnut Rose. En apercevant les soldats qui se précipitaient vers sa cousine, Victoria poussa un cri, d'autant qu'ils la menaçaient de leurs armes et hurlaient. Victoria crut qu'ils allaient tirer et ferma les yeux, mais aucune rafale ne retentit et elle les ouvrit de nouveau, alors que les Allemands poussaient sans ménagement Rose vers les femmes qui attendaient dans un autre camion, à quelques mètres de là. Ils allaient l'y faire grimper quand le maire apparut, accompagné par un officier, et se dirigea vers le véhicule. Rose l'appela, et le maire parlementa un moment avec l'officier qui, en fin de compte, ordonna de la faire descendre. Elle disparut dans la rue adjacente, non sans avoir jeté un dernier regard vers le camion où se trouvaient Henri et Virgile. Aussitôt, Victoria remercia la femme qui lui avait ouvert sa porte et partit dans la direction où avait disparu Rose.

Elle eut du mal à la trouver car elle s'était réfugiée sous un hangar, dans un jardinet où, paralysée par une frayeur rétrospective, elle pleurait sans bruit. Victoria lui prit le bras en disant :

– Viens ! Il ne faut pas rester là.

Rose n'avait même plus la force de parler. Elle se laissa entraîner vers la route nationale d'où, une nouvelle fois, elles entendirent crépiter une rafale. Victoria hésita à revenir vers la place mais elle n'en eut pas le temps, car les camions surgirent au détour de la rue et elle n'eut que le réflexe de se rencogner sous un porche d'où elle aperçut Henri et Virgile bien vivants sur la plateforme d'un des véhicules. Rassurée, elle laissa les camions s'éloigner et, tenant toujours sa cousine par le bras, elle se dirigea vers la

Sauvénie où l'attendaient les enfants. Là, elle laissa Rose dans la cuisine après lui avoir servi du café, puis elle monta délivrer Sarah et Élie, tout en leur recommandant de rester dans leurs chambres. Elle ne se méfiait plus de Rose désormais, mais elle la savait dans un tel état de panique qu'elle ne tenait pas à la mettre en présence des enfants.

– Qu'est-ce qu'ils vont leur faire ? gémit cette dernière, dès que Victoria fut redescendue.

– Les interroger. Mais ne t'inquiète pas : ils seront là demain.

Victoria n'en était pas persuadée en ce qui concernait Virgile : elle se demandait une nouvelle fois s'il n'avait pas été dénoncé ou reconnu lors de ses allées et venues dans la forêt de la Double. Henri, lui, n'avait jamais été arrêté ou menacé jusqu'alors. Il ne risquait donc rien. C'est ce qu'elle s'efforça de démontrer à Rose qui finit par avouer, d'une voix bouleversée :

– Henri travaille pour le réseau du Dr Dujaric.

La surprise passée, Victoria réalisa que ce n'était pas vraiment étonnant : le médecin connaissait tout le monde dans la vallée. Par ailleurs, il avait toujours fait preuve du plus grand secret et de la plus grande prudence dans l'exercice de ses activités clandestines.

– Ne t'en fais pas, fit-elle. Ils seront là demain tous les deux.

La solidarité de tous les gens de la vallée lui parut

précieuse, à cet instant. Si après l'armistice beaucoup avaient décidé de suivre le Maréchal, il était évident qu'après l'invasion de la zone sud et la présence des Allemands jusque dans les villages, la population, dans sa presque totalité, avait choisi la Résistance.

Elles discutèrent encore une dizaine de minutes, cherchant à se rassurer mutuellement, puis Rose décida de rentrer chez elle.

– Si tu veux bien, dit-elle, je reviendrai demain matin pour les nouvelles.

Victoria ne la retint pas. Elle fit quelques pas avec elle sur le chemin, où le vent du nord courait en rafales courtes mais acérées, puis elle revint rapidement vers la maison pour s'occuper des petits qui s'inquiétèrent de nouveau du sort de Virgile. Tout en leur racontant ce qui s'était passé, Victoria réalisa qu'il était sept heures du soir. L'après-midi avait passé très vite, comme dans un mauvais rêve, et maintenant il fallait attendre en s'efforçant de ne pas montrer aux enfants son angoisse, en espérant aussi que personne n'aurait trahi Henri ou Virgile.

Elle prépara le repas, et dîna avec Élie et Sarah qui ne cessèrent de la questionner :

– As-tu vu des gens avec l'étoile jaune ?

– Quelques-uns.

– Tu les connaissais ?

– Non.

– Et ces gens qu'ils ont tués, qui c'étaient ?

– Des résistants, je vous l'ai déjà dit.

– Ils étaient jeunes ou vieux ?
– Des jeunes surtout.
– Combien ont-ils emmené d'hommes ?
– Je n'ai pas eu le temps de les compter.
– Et Virgile, quand va-t-il revenir ?
– Demain.

Elle aurait bien voulu en être sûre, mais une ombre noire demeurait vivante dans son esprit, bien qu'elle s'efforçât de l'oublier. Elle songea également au Dr Dujaric en se demandant s'il avait pu échapper à la rafle. Tout lui parut hostile, soudain, lourd de menaces, même dans sa maison qui n'était plus à l'abri, désormais, contrairement à ce qu'elle avait toujours cru. Elle revécut l'instant où les soldats avaient surgi dans la cuisine, cette violence soudaine, ces cris, l'impression que tout s'écroulait autour d'elle, qu'il n'existait plus le moindre refuge sûr nulle part, pas même pour les enfants qu'elle était chargée de protéger. Et c'était comme si elle avait failli à son devoir, comme si elle se sentait coupable vis-à-vis d'eux.

Dès que la nuit tomba, afin de ne plus se trouver sous le feu de leurs questions embarrassantes, elle les envoya se coucher et elle demeura seule à écouter les bruits de la nuit où le vent, à présent, précipitait la pluie contre les volets clos. Elle ne travaillait pas, ne lisait pas, elle écoutait seulement, espérant follement le retour de Virgile qu'elle savait pourtant impossible si tôt. Pour se rassurer, un peu avant d'aller dormir, elle tenta de récapituler toutes les circonstances, toutes les rencontres qui auraient pu le mettre en péril, mais elle n'en trouva pas. Seul l'homme de l'église de Reillac lui paraissait dangereux, mais elle se persuada qu'il ne l'avait pas reconnue et, d'ailleurs, le fait d'assister à une messe de minuit, même avec des enfants, ne constituait pas un délit. Finalement, elle alla se coucher, garda un long moment les yeux ouverts dans l'obscurité. Elle parvint à s'endormir seulement au matin, après s'être relevée plusieurs fois pour écouter dans la chambre du haut la respiration des deux enfants qui étaient devenus les siens.

10

VIRGILE ne rentra pas le lendemain matin, mais le lendemain soir, vers sept heures, au grand soulagement de Victoria qui commençait à désespérer. Il se montra souriant devant Sarah et Élie, mais dès qu'il se retrouva seul avec Victoria, il lui fit part de ses inquiétudes au sujet du Dr Dujaric :

– Il est impossible qu'il soit passé à travers les mailles du filet, dit-il, l'air soucieux.

Et il ajouta, tandis que Victoria s'asseyait face à lui après avoir débarrassé la table :

– Heureusement qu'il ne me confiait plus de missions depuis quelques semaines, sans quoi je n'aurais pas pu m'en sortir.

Il raconta comment ils avaient été interrogés séparément pendant plus de deux heures, Henri et lui, en ayant à déjouer les mêmes pièges. Ensuite, ils avaient été reconduits dans la cellule qu'ils partageaient avec trois autres hommes qu'ils ne connaissaient que de vue et ils avaient évité de parler entre eux car ils se méfiaient des mouchards que les Allemands y introduisaient régulièrement – Virgile en avait été heureusement averti par le Dr Dujaric au cours de l'une de ses visites. Le lendemain, en début d'après-midi, ils avaient été libérés en même temps et ç'avait été seulement sur la route du retour qu'Henri lui avait fait des confidences au sujet de son appartenance à la Résistance.

– Quand je pense qu'on s'est méfiés d'eux, soupira Virgile.

– On ne peut pas savoir ce qui se passe dans la tête des gens avec qui on ne vit pas, objecta Victoria. Et puis, souviens-toi : Rose s'est montrée réticente vis-à-vis de Sarah. On était bien obligés de prendre quelques précautions.

– En tout cas, il ne faut plus que les petits sortent, même dans la cour. C'est devenu trop dangereux.

– Je passerai le plus de temps possible avec eux. Ils finiront bien par s'habituer.

Ce ne fut pourtant pas chose facile que de confiner Sarah et Élie dans leur chambre au cours des jours qui suivirent. Le vent avait tourné au sud-ouest, le temps s'était mis au beau, avec de grandes heures d'un soleil lumineux que pas la moindre brume n'obscurcissait. On avait l'impression que le printemps avait décidé de s'installer dès le début d'avril, réveillant précocement les prairies, les champs et les arbres sur lesquels pointaient les premiers bourgeons.

Le soir du 2 avril, peu après la tombée de la nuit, on frappa à la porte, alors que les enfants étaient couchés. Aussitôt, Victoria monta dans la chambre tandis que Virgile s'approchait et demandait :

– Qui est-ce ?

– Je viens de la part du Dr Dujaric, fit une voix qu'il n'avait jamais entendue.

– Je ne connais pas de Dr Dujaric.

– Victor, si vous préférez.

– Qui êtes-vous ?

– Un résistant, comme lui. Il ne viendra plus. Il a pris le maquis et m'a chargé d'un message pour vous.

L'homme se tut un instant et, comme Virgile ne réagissait pas :

– Il m'a parlé de Sarah et d'Élie.

Virgile ouvrit la porte, laissant entrer un homme d'une trentaine d'années, portant un costume de velours et un chapeau de feutre qu'il ôta aussitôt, découvrant une chevelure d'un noir de jais. Il avait des yeux très clairs, comme le médecin, et une moustache qui retombait de part et d'autre de sa bouche aux lèvres épaisses.

– Ne vous inquiétez pas, je suis son neveu, dit-il en s'asseyant sur la chaise que lui proposait Virgile.

À cet instant, Victoria, qui avait écouté depuis le palier, apparut et salua l'homme qui se leva, inclinant la tête dans un geste de politesse peu usité qui l'impressionna.

– Comme je vous le disais, reprit l'homme, il a dû prendre le maquis et vous ne le reverrez plus avant un moment. Je ne peux pas vous dire où il se trouve, évidemment, mais il n'est pas très loin d'ici.

Il les dévisagea l'un et l'autre, s'éclaircit la voix, puis il reprit :

– Je suis chargé de vous donner des nouvelles, qui ne sont pas bonnes, vous vous en doutez depuis ce qui s'est passé à Monestier : le 24 mars, plus de vingt personnes ont été tuées par la division Brehmer et dix-huit maisons ont été incendiées. Ensuite, comme ils ne trouvaient pas de résistants, ils s'en sont pris à la population civile, juive ou non, et il y a eu quatorze victimes à la Bachellerie.

Il soupira, poursuivit après avoir laissé Virgile et Victoria mesurer le poids des mots qu'il avait prononcés :

– À Saint-Orse, huit hommes ont été fusillés et plus de vingt femmes et enfants ont été arrêtés. À Tourtoirac, quatre hommes ont été assassinés et six femmes et enfants emmenés à Limoges. Depuis le 26 mars, en fait, c'est plus de cinq cents personnes qui ont été arrêtées. Le maire de Ribérac aussi : il avait refusé de collaborer.

– Et le Dr Dujaric ? demanda Victoria.

– Il a compris ce qui allait se passer dès le premier jour. Soyez sans crainte, il est à l'abri.

L'homme hésita un instant, puis ajouta, un ton plus bas :

– J'étais moi-même à Brantôme le 26 mars quand ils sont arrivés. Avec leur brigade aidée par les miliciens, ils ont parcouru la ville en tirant des rafales de mitraillette dans toutes les directions. Vers dix-huit heures ont commencé le pillage des maisons, et les arrestations se sont succédé. Ils ont fusillé un juif dans la rue, alors qu'il revenait d'un match de football, et brûlé sa maison. Puis ils ont exécuté une vingtaine d'otages dans un petit chemin au lieu-dit Besse-de-Courrières. J'étais caché dans le presbytère et j'ai pu m'enfuir au cours de la nuit.

– Pourquoi nous dites-vous tout cela ? demanda subitement Virgile que l'énumération de ces drames bouleversait.

– C'est le Dr Dujaric qui me l'a demandé. Il pense que les opérations vont se poursuivre et que vos enfants courent un grand danger. Il ne faut pas qu'ils sortent de la maison.

– On a eu notre part, vous savez, lors des événements de Monestier. Et les enfants sont toujours là.

– Oui, bien sûr. Heureusement.

L'homme hésita encore, reprit :

– Mais le pire est peut-être à venir, surtout s'il y a des arrestations à Périgueux.

Et, comme Virgile et Victoria semblaient ne pas comprendre :

– À cause des listes et des adresses, vous comprenez ? Espérons que les responsables de l'association auront le temps de faire disparaître les dossiers en cas de malheur.

Il se tut de nouveau, dévisagea Virgile et Victoria, soupira :

– C'est de cela, avant tout, que le médecin voulait vous prévenir. Les risques sont grands de les voir perquisitionner, fouiller partout, et trouver les enfants cachés, même au fond d'un grenier.

– Qu'est-ce que vous voulez qu'on fasse ? demanda Victoria, affolée par ce qu'elle entendait.

– Vous ne connaissez pas une autre famille qui pourrait les accueillir quelque temps ?

– Non, fit Victoria. D'ailleurs, si on les a gardés jusqu'à maintenant, ce n'est pas pour s'en débarrasser quand ça tourne mal.

– Je comprends, dit l'homme, je comprends. Mais le docteur voulait vous en prévenir.

– Vous le remercierez, fit Victoria, et vous lui direz d'être prudent lui aussi. Je suis certaine qu'il risque plus que nous.

Elle versa au visiteur un fond d'eau-de-vie qu'il avala d'un trait, sans sourciller, puis il se leva subitement.

– Il faut que je m'en aille. Il n'est pas bon de rester trop longtemps au même endroit.

Et, se retournant avant d'ouvrir la porte :

– Je reviendrai vous donner d'autres nouvelles, mais toujours de nuit.

– Merci, dit Virgile. Prenez garde à vous.

La porte se referma et Virgile et Victoria demeurèrent sans parler un long moment, réfléchissant à ce qu'ils venaient d'entendre, jusqu'à ce que des pas se fassent entendre dans l'escalier.

– Qu'est-ce que tu fais là, toi ? demanda Victoria en apercevant Sarah en chemise de nuit.

La petite s'approcha en se frottant les yeux, et dit, d'une voix grave :

– J'ai tout entendu. Je ne veux plus rester ici.

– Et où veux-tu aller ?

– Chez mes parents. Je suis sûre que sur la Côte d'Azur on ne risque rien.

Et, comme Virgile et Victoria ne savaient que répondre :

– C'est vous-mêmes qui me l'avez dit. Il n'y a pas d'Allemands, là-bas.

Songeant aux paroles du neveu du médecin, conscients d'un danger de plus en plus important, Virgile et Victoria étaient ébranlés dans leur conviction. Mesuraient-ils bien tous les risques ? Ne mettaient-ils pas eux-mêmes les enfants en péril ?

– Tu sais pas ce qu'on va faire ? reprit Victoria. On va demander à Fanny de venir, et on prendra une décision avec elle. Si elle nous dit qu'il faut partir, eh bien, vous partirez.

Elle ajouta, comme la petite hésitait :

– Et tu sais pas ? Je vous conduirai moi-même où on l'aura décidé. En attendant, remonte vite dormir et ne t'inquiète pas. On veillera, Virgile et moi, à tour de rôle.

Sarah hésita encore, se balançant d'un pied sur l'autre, puis elle finit par hocher la tête, fit demi-tour et remonta dans sa chambre.

Quand elle eut disparu, ils gardèrent un long moment le silence, réfléchissant à la situation.

– On va attendre, dit Victoria. Je suis sûre que Fanny ne tardera pas à venir après ce qui s'est passé.

Elle ajouta en soupirant :

Je vais veiller jusqu'à trois heures et puis tu viendras me relayer.

– Mais s'ils arrivent ? Qu'est-ce qu'on fera ?

– S'ils arrivent, on les entendra. La nuit on entend tout.

– Où conduira-t-on les petits ?

– Tu passeras par-derrière et tu iras les cacher dans l'atelier, au moins pour la nuit. Ensuite, on avisera.

Elle réfléchit un instant, poursuivit :

– Demain, j'irai chez Rose et Henri. Je crois maintenant qu'on peut compter sur eux.

– Espérons, fit Virgile.

– Va te coucher, et tâche de dormir un peu. Je te réveillerai à trois heures.

Virgile hocha la tête, observa Victoria un instant, puis il se mit au lit tandis qu'elle s'installait sur une chaise, près de la fenêtre, un plaid sur les genoux.

Le lendemain, contrairement à ce qu'elle avait envisagé la veille, Victoria ne se rendit pas chez Rose et Henri. Malgré ses efforts, elle ne se résignait pas à se séparer de Sarah et d'Élie. La petite avait dû lui raconter ce qu'elle avait entendu, car Élie avait retrouvé son visage des premiers jours, quand le souvenir de ce qu'il avait vécu avec ses parents était encore présent en lui.

– Quand Fanny va-t-elle venir ? demanda-t-il à plusieurs reprises, succédant à Sarah qui, elle, ne cessait de s'interroger sur ses parents :

– Pourquoi ne viennent-ils pas me chercher ? Je suis sûre qu'ils ont été arrêtés.

– Oh ! bonté divine ! s'exclama Victoria, tu as vraiment juré de me rendre folle !

– Allons ! disait Virgile, ne t'en fais pas, Fanny nous donnera des nouvelles.

– Si elle ne vient pas, c'est moi qui irai la trouver, lança Sarah dans un défi dont elle était coutumière.

– C'est ça ! Comme la dernière fois ! ironisa Victoria, et tu te perdras dans la forêt ou tu te feras arrêter sur la route.

Elle ajouta, de guerre lasse :

– Je te promets que si on ne l'a pas vue dans trois jours, j'irai moi-même aux nouvelles à Périgueux.

– Et tu m'emmèneras.

– Certainement pas. C'est bien trop dangereux.

A force de cajoleries, de mots rassurants, de promesses renouvelées, la petite se calma enfin et accepta de remonter dans sa chambre. Mais, pendant les jours qui suivirent, Fanny n'apparut pas et Victoria décida de se rendre à Périgueux le 5, en espérant qu'elle parviendrait à la trouver dans le dédale de la grande ville. Elle partirait par le train de sept heures et reviendrait en fin d'après-midi.

Pourtant, pendant la nuit du 4 au 5 avril, alors qu'elle veillait comme à son habitude, on frappa à la porte.

– C'est moi ! Le neveu du Dr Dujaric ! murmura une voix qu'elle reconnut aussitôt.

Elle ouvrit sans bruit, afin de ne pas réveiller les enfants. Elle proposa un verre à l'homme qui refusa et lui parut nerveux. Il ne s'assit même pas sur la chaise qu'elle lui avançait.

– Qu'est-ce qui se passe ? demanda-t-elle.

Il allait répondre, quand Virgile, qui avait entendu, apparut. Il salua le visiteur, les yeux lourds du sommeil interrompu, puis il s'assit pour écouter.

– Fanny a été arrêtée ce matin par la Gestapo, à Périgueux, au siège de l'Aide sociale israélite, dit le neveu du médecin sans le moindre préambule. Les Allemands ont perquisitionné dans les bureaux et emmené toutes celles et tous ceux qui se trouvaient là.

Il s'arrêta un instant, chercha dans sa poche une

cigarette à demi consumée qu'il alluma avec difficulté.

– On ne sait pas si l'organisation a eu le temps de faire disparaître les dossiers avant l'arrivée des Allemands. On pense que oui, mais il est difficile de se débarrasser de tout. Il faut en garder un minimum, vous comprenez ?

– Ce qui veut dire ? demanda Victoria.

– Que vous-mêmes et les enfants êtes en grand danger.

– Nous, c'est pas grave, fit Victoria, qu'est-ce que vous voulez qu'ils nous fassent ? Mais ce sont les petits qui risquent le plus.

– Vous ne connaissez personne qui pourrait les recueillir ?

– On a bien une idée, mais on ne pensait pas que ça arriverait si vite.

– Il faudrait les conduire avant demain matin.

– Et comment voulez-vous faire ? s'indigna Victoria. Il est deux heures et demie.

Tout allait beaucoup trop vite pour Virgile et Victoria. Ils pensaient à Fanny arrêtée, à Rose et Henri à qui ils n'avaient pas eu le temps de parler, à Élie et à Sarah qui dormaient là-haut, au-dessus de leur tête, ignorants du péril qui les menaçait.

– Je ne peux pas rester plus longtemps, dit le neveu. C'est devenu trop dangereux de circuler la nuit.

Il ajouta, écartant les mains en signe d'impuissance :

– Faites pour le mieux, mais surtout faites vite !

Il leur serra la main et partit dans la nuit qui leur sembla, avant que la porte ne se referme, pleine d'ombres menaçantes.

Une fois seuls, ils demeurèrent un long moment silencieux, puis Virgile murmura en se versant une tasse de café :

– Il faut y aller. Il n'y a pas d'autre solution.

– On ne peut pas les conduire là-bas sans savoir s'ils accepteront de les garder.

Victoria ajouta, réfléchissant aussi vite qu'elle le pouvait :

– On ne peut pas non plus réveiller les enfants pour rien. Ils ne comprendraient pas.

– Alors ?

– Alors, je vais y aller !

– Maintenant ?

– Bien sûr ! Maintenant.

– Je peux y aller, moi, si tu veux, proposa Virgile.

– Non. Reste ici. Si par malheur il fallait courir vers l'atelier, tu serais plus leste que moi.

Elle se prépara en quelques minutes, recommanda à son mari de ne pas s'endormir, puis elle sortit dans la nuit éclairée par une lune sans éclat, qui semblait glisser sous les nappes de brume nées de la rivière. Il ne faisait pas froid, mais Victoria frissonnait sur le chemin en resserrant le col de sa pèlerine. Il n'y avait aucune peur en elle, une seule idée l'habitait : quel allait être l'accueil de Rose et d'Henri ? Comme la première fois où elle s'était adressée à eux, elle récapitulait des arguments propres à les convaincre tout en se demandant si elle en serait capable.

Elle mit trois quarts d'heure à couvrir la distance qui séparait la Sauvénie de la ferme de Rose et d'Henri, frappa d'une main hésitante à la lourde porte de chêne, déclenchant les aboiements du chien. Les volets s'ouvrirent au-dessus d'elle, tandis qu'une voix d'homme demandait :

– Qu'est-ce que c'est ?

– C'est moi, Victoria.

– Qu'est-ce qu'il y a ?

– Il faut que je vous parle.

Les volets se refermèrent, la voix d'Henri gronda le chien dont les aboiements cessèrent enfin. Moins de deux minutes plus tard, la porte s'ouvrit, laissant apparaître Rose en chemise de nuit, qui s'effaça devant Victoria en demandant :

– Mon Dieu ! Mais qu'est-ce qui se passe ?

Henri avança une chaise à Victoria, qui préféra rester debout, comme pour démontrer l'urgence de la situation. Le chien, qui l'avait reconnue, vint se frotter contre ses jambes en gémissant.

Victoria était bien trop inquiète pour tergiverser :

– Les Allemands vont venir demain à la Sauvénie, lança-t-elle abruptement.

– Comment le sais-tu ? fit Henri.

Elle expliqua hâtivement ce qui s'était passé à Périgueux, parla des listes, des noms, des adresses, de la menace imminente qui pesait sur les enfants et sur eux-mêmes.

– Et alors ? Qu'est-ce qu'on peut faire ? demanda Rose dans un élan qui parut de bon augure à sa cousine.

– Il faudrait prendre les petits chez vous, au moins quelques jours, le temps de trouver une autre solution, lâcha Victoria, comme pour se libérer d'un fardeau.

Le silence qui accueillit cette proposition lui rappela de mauvais souvenirs. Henri et Rose se regardèrent, puis dévisagèrent Victoria, comme si la foudre venait de frapper leur maison.

– On ne peut pas laisser arrêter des enfants, tout de même ! plaida Victoria.

Et, comme ni Rose ni Henri ne répondaient :

– Ils n'ont fait de mal à personne.

Puis, se souvenant des événements de Monestier dont ils avaient été les témoins privilégiés :

– Eux aussi se battent contre les Allemands.

Elle n'avait pas osé prononcer le mot « juif », devinant confusément qu'il aurait retenti de façon négative aux oreilles de ses hôtes. Mais, comme ni l'un ni l'autre ne prenaient la parole, elle continua d'argumenter un long moment, et, pour finir, aussi bien épuisée par ses nuits de veille que par l'énergie qu'elle venait de déployer, elle se laissa tomber sur une chaise, anéantie.

– Bon ! fit Henri, j'ai bien vu comment ils les traitent à Monestier et je m'en voudrais de laisser faire ça.

Il ajouta, comme elle levait la tête vers lui, déjà reconnaissante :

– On va te les prendre quelques jours, le temps que les choses s'arrangent.

– Merci ! Je savais qu'on pouvait compter sur vous.

Victoria l'embrassa, puis elle étreignit Rose, qui n'avait pas prononcé un mot, mais qui se laissa aller contre elle et, contrairement à ce qu'elle craignait, ne lui parut pas hostile.

– Je vais aller les chercher, dit-elle.

– Maintenant ? Cette nuit ? demanda Rose. J'ai rien de prêt, ici.

– Je vais t'aider si tu veux. Deux lits, c'est bien vite fait.

– Mais non ! Le temps que tu ailles et que tu reviennes, j'y arriverai tout de même.

– Je vais te conduire avec la charrette, fit Henri. On dirait que tu ne tiens plus debout.

La sollicitude de ses hôtes fit du bien à Victoria qui ne refusa pas. La fatigue et la peur lui avaient coupé les jambes.

Dès qu'Henri fut sorti, Rose fit chauffer du café, puis revint vers Victoria qui murmura :

– Merci ! Je suis soulagée de savoir que les petits vont venir ici, dans cette maison.

– Je me demande surtout si on saura s'en occuper.

– Je t'expliquerai, ne t'inquiète pas.

Et elle donna aussitôt quelques recommandations au sujet de la nourriture, du comportement des enfants, de leur complicité, de l'obsession de Sarah au sujet de ses parents. Rose parut affolée par tous ces éléments, si nouveaux pour elle.

– Tu viendras les voir, au moins ?

– Tous les jours, en début d'après-midi.

Henri revint chercher Victoria alors qu'elle finissait de rassurer Rose. Ils partirent aussitôt dans la nuit que la brume, épaissie par la proximité du matin, avait assombrie. Il n'y avait plus de lune, mais le cheval connaissait le chemin de la Sauvénie où ils arrivèrent une demi-heure plus tard.

Le plus difficile fut de réveiller Élie et Sarah sans leur faire peur et, surtout, de les persuader de quitter la maison où ils se sentaient en sécurité. Pour les convaincre, Victoria dut expliquer ce qui s'était passé à Périgueux, avouer l'arrestation de Fanny, ce qui provoqua les larmes de Sarah et raviva ses inquiétudes au sujet de ses parents.

– Je suis certaine qu'ils sont en danger comme

nous. Qui va nous donner des nouvelles, maintenant ?

Victoria lui rappela qu'il n'y avait pas d'Allemands sur la Côte d'Azur, mais des Italiens.

– Je veux les rejoindre, gémit Sarah. Je ne veux plus rester ici.

– On en parlera demain, je te le promets. Mais à présent, il faut partir, au moins quelques jours.

– Demain, c'est sûr ?

– Promis.

La petite finit par accepter de monter sur la charrette au côté d'Élie, Victoria, entre eux, les tenant serrés contre elle. Virgile s'était installé sur la banquette avant, près d'Henri. Il conduirait le cheval au retour pour rentrer plus vite et ramènerait l'attelage le lendemain, en début d'après-midi.

Victoria sentait Sarah trembler contre elle et lui parlait doucement de ses parents :

– Ne te soucie pas d'eux, ils sont en sécurité. C'est de toi qu'il faut t'occuper. On les cherchera dès que le danger sera passé.

– Comment va-t-on faire pour les retrouver ?

– On les retrouvera, je te le promets.

Une fois dans la grande maison de Rose et d'Henri, Victoria dut rester un long moment près d'elle dans sa nouvelle chambre, tandis qu'Élie s'était endormi aussitôt dans la pièce voisine. Virgile et Victoria ne purent repartir qu'à cinq heures, à la fois malheureux et rassurés, mais persuadés qu'ils ne pourraient pas rester longtemps éloignés des enfants dont la présence, au fil des jours, leur était devenue indispensable.

11

ILS avaient fait disparaître toutes les traces de leurs hôtes à la Sauvénie, mais pas un uniforme allemand ou français n'était apparu. Tout restait calme, sans la moindre menace identifiable, même si le neveu du Dr Dujaric, revenu une nuit, avait précisé que les rafles continuaient.

– S'ils avaient trouvé notre adresse dans les dossiers, ils seraient déjà venus, avait avancé Victoria.

– Ne croyez pas ça, avait-il répondu. Ils ont beaucoup de travail avec la Résistance et ils sont moins nombreux depuis que la division Brehmer est repartie.

Victoria ne pouvait s'habituer à vivre loin de « ses » enfants. Elle souffrait de leur absence, ne pouvait admettre de les voir éloignés d'elle. Chaque après-midi, elle gagnait la ferme de Rose et d'Henri, passait là-bas plus de temps qu'il n'était nécessaire, ne se résignait pas à repartir, rentrait seulement à l'heure du repas du soir, sachant que Virgile l'attendait.

Elle avait supplié le neveu du médecin de lui donner des nouvelles des parents de Sarah, mais celui-ci, jusqu'à ce jour, n'avait pu en obtenir.

– Faites quelque chose ! implorait-elle, sinon la petite va faire une bêtise, j'en suis sûre.

– Vous croyez que c'est facile ?

– Non ! C'est facile pour personne.

Elle se montrait reconnaissante envers Rose et Henri qui faisaient preuve de bonne volonté, mais commençaient à trouver le temps long. Ils n'avaient pas vraiment peur pour eux, mais ces enfants si étranges, si différents de ceux qu'ils avaient connus, ils avaient du mal à les comprendre et à s'en faire obéir. Aussi attendaient-ils chaque jour la visite de Victoria qui expliquait, rassurait, trouvait la solution au moindre problème survenu depuis la veille au soir.

Au bout de quinze jours, alors que le mois d'avril avait fait éclore partout dans la vallée des îlots de verdure, Victoria décida que tout danger était écarté, et que les enfants pouvaient regagner la Sauvénie. Ils firent le trajet de nuit, de la même manière qu'à l'aller, retrouvèrent leur chambre et leurs habitudes, même s'ils restaient à l'étage pendant la journée.

Très vite, cependant, Victoria dut une nouvelle fois faire face à la révolte de Sarah qui, dès le lendemain de son retour, lui demanda de l'emmener sur la Côte d'Azur à la recherche de ses parents.

– Tu n'y penses pas ! s'exclama Victoria. C'est bien

trop dangereux. Il y a des contrôles partout, dans les gares, dans les trains, sur les routes. On ne ferait pas vingt kilomètres sans être arrêtées.

– Tu m'as dit que j'avais des papiers...

– Des faux papiers, oui, où tu portes le nom de ma sœur, mais qui ne résisteraient pas à un contrôle et qui la mettraient en danger elle aussi.

– La vérité, conclut Sarah, c'est qu'ils sont morts et que tu ne veux pas me l'avouer.

– Mais qu'est-ce que tu vas chercher ? s'indigna Victoria en appelant du regard Virgile à son secours.

– Allons ! Petite ! intervint-il, prends patience. On aura bientôt des nouvelles.

– Ça fait des semaines que vous m'en promettez, des nouvelles, et je n'en ai jamais.

– Bientôt, répétait Virgile, on en aura bientôt.

De fait, ils en reçurent une nuit, par le neveu du médecin, qui, à leur demande, avait fait des pieds et des mains pour en obtenir. Mais ce qu'ils apprirent cette nuit-là les accabla à l'instant où les mots qu'ils redoutaient tant sortirent de la bouche de leur visiteur :

– Ils ont été arrêtés à Nice, à leur domicile, dans le courant du mois de mars. Ils ont été transférés dans la banlieue parisienne et, de là, sans doute en Allemagne.

– Qu'est-ce qu'on va dire à la petite ?

– Ne lui dites rien. Gagnez du temps.

Le visiteur parut réfléchir, ajouta :

– Ils n'ont pas été fusillés, on peut toujours espérer.

Victoria demeura songeuse, puis elle demanda :

– C'était quoi leur adresse, exactement ?

– 6, rue de Rivoli, à Nice. Mais je ne vous conseille pas de la lui donner. Vous m'avez dit qu'elle était capable de fuguer.

Il y eut un long moment de silence, puis Victoria murmura :

– Merci. Merci beaucoup.

– Ce n'est pas moi qu'il faut remercier, mais le Dr Dujaric. Il a pris beaucoup de risques pour se renseigner.

– On le fera dès qu'on le reverra, dit Virgile, en attendant, s'il vous plaît, faites-le pour nous.

– Vous pouvez compter sur moi.

Dès ce jour-là, Virgile et Victoria se trouvèrent devant un dilemme : fallait-il parler ou se taire ? Ils décidèrent de gagner du temps, comme l'avait recommandé le neveu du médecin, mais ils en eurent mauvaise conscience, et leurs rapports avec Sarah devinrent de plus en plus difficiles.

Les jours passèrent, cependant, sans aggravation de la situation car les Allemands concentraient leurs recherches sur les résistants. À peine si l'on avait entendu parler de la rafle du 10 mai menée dans le département par la Milice et les forces du maintien de l'ordre qui avait abouti à des arrestations dans les milieux radicaux et francs-maçons de Périgueux. Quelques juifs en avaient également fait les frais : ils n'avaient pas été transférés dans la banlieue parisienne, mais internés à Nexon, à Limoges ou à Bordeaux.

La nouvelle du Débarquement annoncée par Henri, le 6 juin, emplit tout le monde de joie à la Sauvénie. Pour la première fois depuis bien longtemps, une bonne nouvelle arrivait enfin, qui laissait entrevoir une embellie, jusqu'au moment où les actions de la Résistance provoquèrent des représailles. Le 12 juin, attaqué par les maquisards à la hauteur du château de Lanmary, un détachement allemand composé de voitures blindées s'arrêta dans le hameau de Cornille, entra dans les maisons, fusilla un juif, son hôte, et brûla sept maisons.

Virgile et Victoria n'avaient accès à ces informations que bien après, quand le neveu du médecin parvenait à se rendre à la Sauvénie, ou alors grâce à Henri qui circulait davantage que Virgile. Ils n'en étaient donc pas vraiment préoccupés. Les beaux jours incitaient les enfants à ne pas rester prisonniers dans leur chambre. Ils ne jouaient pas dehors, mais descendaient maintenant dans la cuisine, et se souciaient de moins en moins des événements extérieurs.

Le seul vrai souci de Virgile et de Victoria, c'était

Sarah. Elle voulait à tout prix écrire à ses parents, bien que Victoria lui eût dit que le courrier était surveillé et que c'était dangereux. Comme la petite n'avait pas voulu en démordre, elle avait fini par lui donner leur adresse, précisant que Virgile irait lui-même poster la lettre à Monestier. Mais elle conserva le courrier de la petite par-devers elle et en conçut un remords qui l'accabla. Chaque jour Sarah demandait s'il y avait une réponse et, comme elle se méfiait, elle finit par surprendre un soir une conversation entre Virgile et Victoria, qui s'en voulait de ses mensonges répétés et se les reprochait amèrement.

Un matin de juin, alors que la journée s'annonçait très chaude, comme les jours précédents, Sarah refusa de se lever, se prétendant malade. D'abord Virgile et Victoria ne s'inquiétèrent guère et ne songèrent même pas à faire venir un médecin. La petite n'avait pas de fièvre, mais elle affirmait qu'elle ne pouvait tenir debout, que ses jambes ne la portaient plus. En questionnant Élie, Victoria comprit de quoi il s'agissait quand il répondit, un soir où elle avait réussi à le pousser dans ses derniers retranchements :

– Elle est très malade. Il faut prévenir ses parents. Elle veut les voir avant de mourir.

– Qu'est-ce que c'est que cette histoire ? s'exclama

Victoria, qui comprit très bien, après réflexion, quel défi avait lancé la petite.

Au cours de la nuit, Sarah prétendit qu'elle allait vomir, alors qu'elle n'avait rien mangé lors du repas du soir. Elle assura également qu'elle avait de la fièvre mais elle refusa l'usage du thermomètre. Après avoir tenu conseil le lendemain matin, Virgile et Victoria décidèrent d'en avoir le cœur net.

– Virgile va aller chercher le médecin de Mussidan, dit Victoria à la petite, qui parut satisfaite.

Il partit de bonne heure, revint vers midi et annonça que le Dr Bessaguet viendrait dans l'après-midi. C'était un très vieil homme, handicapé par un embonpoint considérable et perclus de douleurs. Il avait dû reprendre du service en raison de l'absence des jeunes médecins réquisitionnés ou entrés dans la Résistance. Il examina Sarah longuement, réfléchit, toussota, puis conclut dans la perplexité à une indigestion. Deux jours de jeûne et l'enfant serait sur pied.

Victoria passa deux heures dans la chambre de Sarah à la questionner, mais elle n'en tira aucune confidence. Les deux enfants restaient maintenant enfermés dans la chambre de la fillette, au grand désappointement de Virgile et de Victoria qui ne savaient plus quoi faire. Puis ce manège cessa subitement le troisième jour sans que ni l'un ni l'autre n'aient compris ce qui s'était passé. Ils ne se doutèrent jamais que ces deux jours d'isolement avaient permis à Sarah d'écrire une nouvelle lettre, et à Élie, s'échappant par l'arrière de la maison, de poster lui-même la lettre dans la boîte du carrefour le plus proche, de revenir en courant, et de remonter dans la chambre grâce au même subterfuge en moins de trois quarts d'heure.

Juin s'acheva dans le parfum épais des foins coupés, du grincement des essieux des charrettes sur les chemins, des nuits chaudes comme des pains sortis du four. Victoria demeurait méfiante, aux aguets, même si Sarah, maintenant, se conduisait normalement, ou presque. Elle s'était rendue utile dans la maison quand Victoria avait dû aider Virgile à rentrer le foin. Le facteur passait rarement à la Sauvénie, car Virgile et Victoria écrivaient peu, mais Sarah connaissait son heure pour l'avoir vu une fois, peu avant midi, apporter un almanach. Elle était toujours présente à cette heure-là dans la cuisine, de manière à ce que Victoria ne puisse faire disparaître une éventuelle réponse.

Au fil des jours, cependant, la petite, pleine d'espoir au début, recommença à se fermer, à ne plus parler, à demeurer dans sa chambre en refusant maintenant la présence d'Élie, qui en fut complètement désarçonné. Tout espoir enfui, elle tomba malade pour de bon, au grand désespoir de Victoria qui comprit combien cette fois c'était sérieux, mais qui ne put se résoudre à lui dire la vérité, redoutant le pire si elle apprenait l'arrestation de ses parents.

Une fois de plus, ils tinrent conseil avec Virgile et trouvèrent une solution pour, au moins, gagner encore un peu de temps.

– Virgile va se rendre à Nice, annonça Victoria un soir à la petite.

Et, comme l'enfant jetait sur elle un regard incrédule :

– Il va aller chercher tes parents, c'est promis.

– Quand ?

– Dès qu'on le pourra. Il faut d'abord aller à la gare prendre un billet.

Une fois les formalités du voyage accomplies, Sarah accepta de se lever pour écouter Victoria expliquer à Virgile ce qu'il devait faire pour se rendre sur la Côte d'Azur et revenir. Il paraissait écrasé devant l'immensité de la tâche, tournait et retournait le billet de chemin de fer et la feuille de papier où se trouvaient tous les renseignements dans ses mains, fuyait le regard de Sarah qui ne cessait de le remercier.

Il partit le 30 juin en feignant la détermination et la gaieté, mais en évitant de promettre le succès de son entreprise. Il était malheureux, en fait, de se livrer à cette comédie, autant que l'était Victoria. Mais la petite allait mieux, elle se levait maintenant, jouait avec Élie qui, lui aussi, avait retrouvé le sourire. Ce qui incitait Sarah à croire à la mission de Virgile, c'était que le billet de chemin de fer coûtait cher, et que Virgile et Victoria n'avaient pourtant pas hésité à en faire l'acquisition.

Le matin du 30, donc, Virgile se rendit à la gare et prit effectivement le train pour Périgueux. Là, il descendit, se fit le plus petit possible pour ne pas se faire remarquer des soldats dans les rues, puis il revint à pied vers Mussidan, et, le soir même, épuisé, il se réfugia, comme convenu avec Victoria, chez Henri et Rose pour trois jours et trois nuits.

Il rentra le quatrième jour à la Sauvénie, fit un récit écourté de son voyage, toujours aussi mal à l'aise que lors de son départ, et donna enfin à la petite les renseignements qu'il avait imaginés avec Victoria et le neveu du Dr Dujaric : les parents de Sarah avaient quitté la Côte d'Azur et étaient passé en Suisse où ils vivaient en toute sécurité.

– Pourquoi ne sont-ils pas venus me chercher ? demanda-t-elle.

– Parce qu'ils ont dû partir précipitamment en passant par la montagne.

La petite parut rassurée, apaisée, même, par ces explications pourtant douteuses.

– Ils viendront te chercher dès qu'ils le pourront, précisa Victoria sans être capable d'affronter son regard.

À partir de ce jour, Sarah se sentit mieux, même si un doute s'insinuait parfois dans son esprit, auquel Victoria s'efforçait de répondre, soulagée de la voir retrouver goût à la vie.

Le mois de juillet s'annonça, entrecoupé de quelques orages qui rafraîchissaient à peine l'atmosphère. Les moissons firent passer sur la vallée des parfums épais de grains et de paille. Il faisait tellement chaud qu'on dormait toutes fenêtres ouvertes à la Sauvénie, si bien que Victoria entendit le neveu du médecin de loin, quand il vint dans la nuit du 16 au 17 leur donner des nouvelles, fidèle messager de son oncle qui ne les oubliait pas.

Le Débarquement avait réussi, les Allemands reculaient partout, la victoire définitive était proche. Mais c'est parce qu'ils se sentaient en danger qu'ils devenaient féroces dans les régions qu'ils occupaient encore. Ainsi, le 15 juillet des soldats de la Wehrmacht et des agents de la Gestapo avaient investi le village de La Cave, commune de Marsac, arrêté tous les hommes pour un contrôle d'identité, et fait le tri entre les juifs réfugiés et les habitants de la commune. Ils n'avaient trouvé que cinq juifs, or ils voulaient six otages en représailles à l'attaque d'un train par le maquis dans la gare du village, huit jours auparavant. Finalement, ils en avaient capturé un autre qui passait à bicyclette, ignorant du drame qui se jouait là, et ils les avaient tous fusillés dans une vigne, à deux cents mètres de la route nationale.

Le neveu du médecin repartit en leur recommandant une nouvelle fois d'être prudents, mais en se montrant plutôt optimiste. À son avis, avant un mois tout danger serait écarté.

Deux jours passèrent, au cours desquels rien ne vint les alerter davantage sur les risques encourus. Au contraire, il leur sembla que l'été définitivement installé les protégeait de la moindre menace venue d'ailleurs, d'autant que la chaleur incitait plutôt à rester cloîtré à l'ombre des maisons dès le milieu de la matinée. Et pourtant, alors qu'ils étaient en train de prendre leur repas de midi, le 19 juillet, deux camions et une voiture surgirent sur la route et bifurquèrent brutalement vers le chemin de la Sauvénie. Si les enfants eurent le temps d'aller se cacher dans le grenier, Victoria ne put faire disparaître tous les couverts posés sur la table. Il n'y avait pas de miliciens, dans les camions, mais seulement des Allemands, dont un officier, qui conduisait le détachement. Ils montèrent à l'étage, sondèrent les murs et ne mirent pas longtemps à comprendre qu'une cache se trouvait dans le grenier, derrière le panneau de bois, où ils trouvèrent Élie et Sarah terrifiés.

En bas, Victoria tenta de s'interposer, au moment où les soldats apparurent avec les enfants, mais elle ne put s'y opposer. Elle fut repoussée sans ménagement vers la souillarde, où Virgile la retint par le bras pour l'empêcher de tomber. Avant qu'ils ne sortent, elle montra à l'officier, dans un dernier espoir, les sabots que les deux enfants n'avaient pas eu le temps d'enfiler, mais il la repoussa violemment et lança :

– Vous venez aussi. Vous et votre mari, vous êtes bien connus de nos services.

Dehors, les soldats entraînèrent Élie et Sarah dans le premier camion où se trouvaient déjà une dizaine de femmes et d'enfants.

– Vous montez dans l'autre camion ! lança l'officier à Virgile et Victoria. Je m'occuperai de vous plus tard.

Poussés par les soldats, ils marchèrent vers le véhicule désigné par l'Allemand, tout en restant tournés vers Élie et Sarah qui, tétanisés, les regardaient sans un appel, sans la moindre plainte. L'officier s'apprêtait à monter dans la voiture, quand Victoria fit demi-tour, s'approchant du camion où se trouvaient les enfants.

– Éloignez-vous ! cria l'officier.

Mais Victoria continua d'avancer et dit, d'une voix que Virgile entendit à peine :

– Ce sont mes enfants. Je pars avec eux.

– Comme vous voulez, madame ! fit l'officier, qui ordonna aussitôt à l'un des soldats de baisser la ridelle, tandis que ceux qui se trouvaient au bord du camion l'agrippaient pour l'aider à monter.

Virgile esquissa un pas vers eux, mais Victoria lui fit signe de la main de s'éloigner et il se laissa hisser dans l'autre véhicule, comprenant qu'elle ne voulait pas de lui dans l'épreuve qu'elle avait choisie. Très vite, le convoi s'ébranla, puis, une fois sur la route nationale, les camions prirent la direction de Périgueux, où ils se séparèrent.

Épilogue

En ce mois de juin 1945, le parfum du foin coupé embaumait la campagne assoupie dans la canicule. Il faisait très chaud, et cependant Virgile ne se trouvait pas à l'abri des volets clos de la chambre, mais sur le banc de pierre, dehors. Il attendait. Car il avait reçu une lettre lui annonçant le retour de Victoria pour ce jour-là, sans indication de l'heure toutefois. Cela faisait presque un an qu'ils avaient été séparés, presque un an qu'elle avait disparu, et qu'il s'était retrouvé seul dans la prison de Limoges, où, très vite, il avait été délivré par les troupes du colonel Guingouin.

Il était rentré à la Sauvénie, il avait continué à vivre comme il l'avait pu, un jour poussant l'autre, l'espoir au cœur, surtout depuis que la guerre était terminée. Sa solitude avait été profonde, douloureuse, car le Dr Dujaric, parti avec l'armée française envahir l'Allemagne, avait été tué en Alsace. Il n'avait eu aucune nouvelle, Virgile, il ne savait pas où se trouvait

Victoria, ni les enfants qui avaient été emmenés avec elle. Tout ce temps passé seul dans l'incertitude et la peur l'avait fragilisé davantage. Il ne travaillait plus, il attendait seulement, animé par l'infime lumière d'un faible espoir enfin concrétisé par cette lettre qu'il tenait entre ses mains tremblantes.

Il attendait sagement, relisant de temps en temps les mots qui lui annonçaient le retour de sa femme et qu'il avait du mal à croire. Il n'avait pas désespéré, Virgile, non, ce n'était pas exactement ça, mais la vie sans Victoria n'était pas la vie. Il ne respirait plus, ou à peine, il avait du mal à se lever le matin, il souffrait en silence, ne savait plus qui il était ni pourquoi il était seul. Comment avait-il survécu ? Il se le demandait encore. Sans doute au fond de lui s'était-il persuadé que Victoria était assez forte pour résister à tout, n'imaginant pas l'enfer qu'elle affrontait quotidiennement là où elle se trouvait. Comment l'aurait-il imaginé, lui qui avait vécu si longtemps sans le moindre soupçon de ce que pouvait être la cruauté humaine ?

Il avait espéré, donc, s'était gardé vivant malgré la solitude, et ce matin-là, il était assis sur le banc de pierre et regardait la route. Il se leva seulement quand il aperçut la voiture qui s'arrêtait à l'entrée du chemin. Une silhouette noire en descendit, qui lui fit battre le cœur plus vite.

– Victoria ! gémit-il.

Mais ce ne pouvait être elle, cette femme qui marchait courbée, très maigre, les cheveux courts, et pourtant, son allure, le mouvement de ses épaules ressemblaient bien aux siens. Il fit un pas, puis deux, marchant à la rencontre de celle qui venait vers lui, aussi, et qui s'arrêta à deux mètres, le dévisageant dans un pâle sourire.

– C'est toi ? fit Virgile. Est-ce que c'est bien toi ?

– Qui veux-tu que ce soit ? fit-elle, avec une voix qu'il reconnut aussitôt, et qui le transporta dans un bonheur inouï.

– J'ai tellement changé ? demanda-t-elle, mais avec toujours, dans la voix, la même intonation brusque, de défi, qui lui était familière.

– Non, dit-il. Non.

– À la bonne heure !

Puis, en ouvrant les bras :

– Qu'est-ce que tu attends pour venir m'embrasser ? Tu en as embrassé d'autres pendant que j'étais pas là, ou tu as perdu l'habitude ?

– J'ai un peu perdu l'habitude, dit Virgile.

– Ou alors c'est que je suis devenue trop vilaine…

– Mais non, dit-il, bien sûr que non.

Il s'approcha, referma ses bras sur elle, qui demeura un moment immobile puis se dégagea doucement.

– Viens, mon Virgile, viens ! dit-elle, en lui prenant la main.

Ils se réfugièrent dans la fraîcheur relative de la grande cuisine que Victoria inspecta longuement du regard, comme si elle ne la reconnaissait pas. Puis elle s'assit en face de lui et dit, avec, pour la première fois qu'elle était apparue, une faille dans la voix :

– J'ai bien pâti, tu sais.

Et, tout de suite après :

– J'en ai eu, de la misère.

Puis, retrouvant sa verve naturelle, elle lui montra l'intérieur de son poignet où étaient inscrits des chiffres d'un noir bleuté et elle lui dit :

– Regarde ! J'ai un numéro maintenant.

Et en riant, soudain :

– Tu ne pourras plus me perdre. Tu vois ? Tu es rassuré, j'espère.

Ce fut tout. Jamais, au cours des jours qui suivirent, ni plus tard, au fil des mois, des années, elle ne lui parla de ce qu'elle avait vécu. Jamais non plus ils n'évoquèrent les enfants, Sarah et Élie, dont ils savaient qu'ils n'avaient pu revenir de l'horreur dans laquelle ils avaient été précipités. De leur passage à la Sauvénie ne restaient que les sabots que Virgile avait laissés en bas de l'escalier et qui y demeurèrent au retour de Victoria. Chaque fois qu'ils montaient dans leur chambre, ils les apercevaient, leur regard s'y attardait un instant, mais ils n'en parlaient pas. Ils n'en avaient pas la force. C'était comme une présence fidèle et essentielle dont ils n'auraient pu se passer.

Ils reprirent leur vie sans surprise jusqu'au jour où, bien des années plus tard, un homme élégamment vêtu, à l'accent curieux, vint leur proposer d'être reconnus « Justes » pour avoir protégé des enfants juifs et, à ce titre, recevoir une médaille.

– Une médaille ? s'étonna Victoria.

– Oui, une médaille, nous savons exactement quel rôle vous avez joué pendant la guerre et comment vous avez protégé deux de nos enfants.

Victoria dévisagea l'homme un instant, se tourna vers Virgile qui lui sembla aussi stupéfait qu'elle, puis elle répondit :

– Nous vous remercions, monsieur, mais ce n'est pas la peine. Nous ne saurions pas la porter.

L'homme expliqua ce dont réellement il s'agissait, il insista puis il comprit qu'il ne parviendrait pas à ses fins. Il s'inclina plusieurs fois devant eux, remercia, et enfin s'en alla.

Ensuite, sans jamais évoquer cette visite qui les avait laissés songeurs, comme s'ils n'avaient pas compris ce qu'on leur proposait, ils poursuivirent leur existence dans la paix des saisons, Victoria occupée à son jardin et à sa cuisine, Virgile dans son atelier où il se mit à fabriquer des barques, peut-être avec la pensée confuse qu'elles serviraient un jour. Le temps continua à couler sur eux, sans que jamais ils ne se plaignent de la fissure ouverte dans leur cœur, qui pourtant s'élargissait au fil des jours. C'est de cette blessure-là qu'ils moururent quinze ans plus tard, à une semaine d'intervalle, comme s'ils ne pouvaient pas se passer l'un de l'autre. Ils furent portés en terre dans le petit cimetière de Monestier où ils reposent côte à côte. Là, Victoria continue de veiller fidèlement sur Virgile et sur ceux qu'ils ont enfin retrouvés, dans un monde où, comme on peut l'espérer, tous les hommes et toutes les femmes leur ressemblent.

DU MÊME AUTEUR

Aux Éditions Albin Michel

LES VIGNES DE SAINTE-COLOMBE :

1. Les Vignes de Sainte-Colombe (Grand Prix des lecteurs du Livre de Poche), 1996.
2. La Lumière des collines (Prix des maisons de la Presse), 1997.

BONHEUR D'ENFANCE, 1996.

LA PROMESSE DES SOURCES, 1998.

BLEUS SONT LES ÉTÉS, 1998.

LES CHÊNES D'OR, 1999.

CE QUE VIVENT LES HOMMES :

1. Les Noëls blancs, 2000.
2. Les Printemps de ce monde, 2001.

UNE ANNÉE DE NEIGE, 2002.

CETTE VIE OU CELLE D'APRÈS, 2003.

LA GRANDE ÎLE, 2004.

LES VRAIS BONHEURS, 2005.

LES MESSIEURS DE GRANDVAL :

1. Les Messieurs de Grandval (Grand Prix de littérature populaire de la Société des gens de lettres), 2005.
2. Les Dames de la Ferrière, 2006.

UN MATIN SUR LA TERRE (Prix Claude-Farrère des écrivains combattants), 2007.

C'ÉTAIT NOS FAMILLES

1. Ils rêvaient des dimanches, 2008.
2. Pourquoi le ciel est bleu, 2009.

UNE SI BELLE ÉCOLE (Prix Sivet de l'Académie française et prix Mémoires d'Oc), 2010.

AU CŒUR DES FORÊTS (Prix Maurice Genevoix), 2011.

Aux Éditions Robert Laffont

LES CAILLOUX BLEUS, 1984.

LES MENTHES SAUVAGES (Prix Eugène-Le-Roy), 1985.

LES CHEMINS D'ÉTOILES, 1987.

LES AMANDIERS FLEURISSAIENT ROUGE, 1988.

LA RIVIÈRE ESPÉRANCE :

1. La Rivière Espérance (Prix La Vie-Terre de France), 1990.
2. Le Royaume du fleuve (Prix littéraire du Rotary International), 1991.
3. L'Âme de la vallée, 1993.

L'ENFANT DES TERRES BLONDES, 1994.

Aux Éditions Seghers

ANTONIN, PAYSAN DU CAUSSE, 1986.

MARIE DES BREBIS, 1986.

ADELINE EN PÉRIGORD, 1992.

Albums

LE LOT QUE J'AIME, Éditions des Trois Épis, Brive, 1994.

DORDOGNE, VOIR COULER ENSEMBLE ET LES EAUX ET LES JOURS, Éditions Robert Laffont, 1995.

Composition IGS-CP
Impression CPI Bussière en septembre 2012
à Saint-Amand-Montrond (Cher)
Éditions Albin Michel
22, rue Huyghens, 75014 Paris
www.albin-michel.fr

ISBN broché : 978-2-226-24423-9
ISBN luxe : 978-2-226-18458-0
N° d'édition : 18898/01. – N° d'impression : 122957/4.
Dépôt légal : octobre 2012.
Imprimé en France.